KB171794

사서가 책만 꽂는다고요?

사서가 책만 꽂는다고요?

발   행 | 2024년 07월 10일
저   자 | 권명석, 김자영, 배선영, 신순덕, 심수진, 유연수, 이현정, 정경애
기   획 | 인천광역시교육청중앙도서관
펴낸이 | 한건희
펴낸곳 | 주식회사 부크크
출판사등록 | 2014.07.15.(제2014-16호)
주   소 | 서울특별시 금천구 가산디지털1로 119 SK트윈타워 A동 305호
전   화 | 1670-8316
이메일 | info@bookk.co.kr

ISBN | 979-11-410-9451-5
본 책은 인천광역시교육청중앙도서관의
2024년 읽·걷·쓰 사업의 일환으로 제작된 도서입니다.

www.bookk.co.kr

사서가 책만 꽂는다고요?

권명석·김자영·배선영·신순덕
심수진·유연수·이현정·정경애

목 차

1장

사서가 꿈이라서요

물음표투성이 도서관

어릴 때부터 막연하게 도서관이라는 공간이 좋았다. 크게 뚜렷한 이유는 없었지만 지금 생각해 보자면 분위기나 느낌이 좋았던 것 같다. 자료실에 들어서면 맡을 수 있는 책 냄새와 친절한 사서 선생님들, 조용한 공간 속에서 깔끔하게 서가에 꽂힌 책들을 보면 마음이 편안해졌다. '내가 좋아하는 공간에서 일한다면 당연히 행복하지 않을까?'라는 생각으로 장래 희망으로 자연스럽게 사서를 선택했었다. '사서'라는 직업 자체보다는 도서관이라는 공간에 머무는 사람이 되고 싶었던 것 같다. 그러니까 사서를 하고 싶다기보다는 도서관에서 일하는 사람이 되고 싫었는데 가장 쉬운 길이 사서라고 착각했던 것 같다.

사서가 될 수 있을까?

막상 대학을 졸업하고 나니 고민이 되었다. '사서가 되고 싶은가?'부터 시작해서 '들어간다 해도 도서관 업무를 잘할 수 있을까?'라는 복잡한 생각이 들었다. 생각만 자꾸 커지다 보니 스스로 가졌던 확신이나 자신감이 없어졌다. 그래서 당장 시험을 보거나 공채보다 먼저 도서관에 대한 경험을 해봐야겠다는 생각이 들었다.

그래서 개관연장 업무부터 시작했다. 처음에는 모든 것이 낯설고 어려웠지만 자료실 근무를 하다 보니 이용자를 응대하고 도서관 데스크에 앉아 있는 것이 자연스러워졌다. 하지만 그 외 다른 업무에 대해서는 해본 적이 없으니 멀리서 바쁜 사서 선생님들을 구경할 수밖에 없었다. 사서가 도서관 자료에

관한 것 이외에 문화 프로그램을 기획하거나 도서관 견학 수업을 한다는 것쯤은 알았지만 무엇을 더 어떻게 하는 건지 궁금해졌다.

그리고 자료실 업무를 하면서 어려운 점도 있었지만, 도서관을 좋아하는 마음은 여전했기에 사서를 하고 싶었다. 근데 또 사서를 하려면 어떻게 준비해야 하며, 어느 기관의 사서를 해야 하는지에 대해서도 계속 고민했었던 것 같다.

그러다가 아르바이트 중에 자료실 실장님께서 나에게 도서관에 들어와서 사서로서 본격적으로 일하면 잘할 것 같다는 칭찬을 해주셨다. 때마침 그 도서관이 교육청 도서관이었기에 여러 후보지 중에서도 교육청 소속 도서관이 내 눈에 띄었던 것 같다. 그 이후로 짧다면 짧지만 나름 길었던 1년여 정도의 준비 기간을 거쳐서 운 좋게도 지금의 사서직으로 들어올 수 있었다.

어떻게 하면 좋은 사서가 될 수 있을까?

전과 같이 지금도 자료실 업무를 하고 있지만 이전과 달리 자료실 업무만 하는 것은 아니기에 새로운 것이 많았다. 자료실을 오가면서 데스크 업무만 하는 게 아니라 어린이 자료실에 소속되어서 어린이 독서교육에 대해서도 업무를 맡게 되었다. 조카들을 본 지도 오래되었으며 아는 동생들도 5살 내외의 동생들밖에 없는데 이런 내가 어린아이들을 잘 대할 수 있을지도 걱정이 되었다.

나는 수줍음이 많아 조별 과제를 하면 발표를 피하기 위해 자료조사를 하거나 PPT를 만드는 것을 담당했었다. 그런데 여기서는 내가 아이들 앞에서 견학 수업을 하게 되었다. 초롱초롱한 눈의 아이들을 볼 때면 준비한 대로 수업을 잘할 수 있을지 긴장이 되어서 한겨울에 땀이 나기도 했다. 견학 수업은 실장님을 대신해서 잠깐 해보는 것이라 금방 지나갔지만, 아이들이 어떤 질문을 할지 몰라서 상황별로 어떻게 대처할지 빼곡하게 적어놨던 메모는 아직도 갖고 있다.

독서교실을 처음 맡아서 해봤을 때는 그야말로 패닉의 연속이었다. 구상할 때는 당연히 좋은 취지로 계획했었는데 막상 진행해 보니 아이들이 듣기에는 어렵거나 지루한 수업들이 있었고 또 의외로 생각하지 못한 곳에서 아이들이 재밌어하는 포인트도 있었다. 모집은 잘 되었는데 막상 진행할 때 애들이 안 나올까 봐 아직 도착하지 않은 친구들에게 연락을 돌리며 전전긍긍하기도 했다. 와다닥 진행되었던 독서교실이 끝나갈 때쯤엔 정말 속이 시원하기도 했지만, 아이들과 마무리 사진을 찍고 독서교실 영상을 편집하면서 수업을 듣는 아이들을 다시 볼 때면 아쉽기도 하고 뭉클해지기도 했다. 또 더욱 잘해야겠다는 원동력이 생겼다.

도서관에 처음 들어왔을 때와 글을 쓰는 지금과 비교해 본다면 가장 많이 하는 생각이 달라진 것 같다. 예전에는 '어떻게 할 수 있을까?'라고만 생각했는데 '어떻게 하면 더 잘할 수 있을까?'를 고민하게 되었다. 사서가 어떻게든 되었으니 좋은 사서가 되기 위해서 나아가는 중인 것 같다.

도서관은 나에게 언제나 선망의 대상이었기에 도서관에 대해 궁금한 점이 많았다. 지금은 여기에 들어와서 그 궁금증을 해결해 나갈 수 있는 주체가 된 것에 감사하며 살고 있다.

이용자로서, 사서로서,

첫사랑, 첫눈, 첫 만남

또는 거창하지 않더라도 우리는 살면서 수많은 처음을 만나지만 그중에서도 특별히 기억되는 처음들이 있다.

그리고 최근 나는 오래오래 기억할 것 같은 처음을 만났다.

사회인으로서 첫 직장이자 사서 공무원으로서의 첫 발령지, 그리고 나의 첫 도서관이다.

나의 첫 도서관이라는 말이 뭔가 조금 이상하게 느껴질 수 있다. 직업이 사서면 취업하기 전에 많은 도서관들을 가봤거나 알바로라도 일해보지 않았을까? 그럼 첫 도서관은 예전에 가본 도서관이 아닌가? 이 질문들에 대한 답으로 나의 도서관 이야기를 적어보려고 한다.

이야기는 내가 초등학생이었던 시절로 거슬러 올라간다. 그해 여름은 유난히도 더웠고 장마 또한 길었다. 그 시절 대부분의 가정집에서는 에어컨을 잘 틀지 않았기 때문에 친구와 나는 밖에서 뛰어놀다가 더위를 피하고자 당시 새로 지어진 지 얼마 되지 않은 학교 도서관에 우연히 찾아갔다.

도서관이 너무 깔끔하고 시원할 뿐만 아니라 재미있는 책들, 특히 당시에 인기 있던 학습만화들도 많이 있었다. 그 이후 학교 바로 앞에 살던 나는 여름 방학 동안 더운 점심에는 도서관에서 에어컨을 쐬며 책을 읽다가 해가 중천을 넘어 조금 시원해지는 오후에는 친구들과 노는 일정을 반복하며 그해 여름방학을 보냈다.

다시 학기가 시작되고 도서관에 찾아가니 사서 선생님은 도서관 출석왕 행사로 주는 선물이라며 나에게 큰 두루마리 화장지 세트를 주셨다.

여름방학을 계기로 집에 있기에 심심할 때마다 도서관에서 책을 읽거나 누워서 쉬거나 했는데, 그 모습을 기특하게 본 사서 선생님은 다른 아이들이 별로 없을 때 따로 데스크로 불러내 간식을 주시기도 하셨다. 그리고 그다음 여름방학이 시작하기 전 학교가 끝난 후 집에 가려고 교실에서 짐을 싸고 있던 나를 담임선생님이 교무실로 부르셨다.

"네가 도서관에 자주 가고 책을 좋아한다며? 사서 선생님이 말씀하시더라고. 이번 여름방학에 며칠 동안 다른 도서관에서 너처럼 책 좋아하는 아이들끼리 같이 책도 읽고 이야기하는 프로그램이 있는데 우리 학교에서는 네가 가면 어떨까?"

그렇게 에어컨을 쐬러 도서관에 간 지 1년 뒤에 나는 담임선생님과 사서 선생님의 추천으로 다른 도서관을 가보게 되었다.

시간이 지나 여름방학이 되고 프로그램 시작 전날이 되었다. 이전까지 혼자 책을 읽던 나는 다른 친구들과 책을 읽고 이야기를 할 생각에 기대하면서도 처음 해보는 일에 걱정하며 잠을 설쳤다.

당일이 되어 엄마와 함께 간 프로그램 장소는 바로 인천 중앙도서관이었다.

이전까지 도서관이라고 가본 곳은 집 앞 학교 도서관이었던 나는 처음으로 가본 공공도서관인 중앙도서관은 충격이었다. 자료실에는 층의 끝에서 끝까지 책이 가득했고 수많은 사람들이 책을 읽고 또 열람실에서 공부했다. 늘 혼자서 한정된 책들만을 봤던 나에게 새로움을 주었다.

이것이 내가 처음 만난 공공도서관이었다.

프로그램 장소로 가니 내 또래의 다른 친구들이 많이 있었다. 걱정과 다르게 사서 선생님의 설명과 강사님의 재미있는 강의로 친구들과 책에 관해 이야기하며 즐거운 시간을 보냈다. 집에 와서도 다음날이 기대됐었다.

하지만 불행히도 다음날 나는 장염에 걸려 며칠 동안 집에서 한 발짝도 나갈 수 없었고, 결국 상태가 호전된 마지막 이틀만 간신히 프로그램에 참여했다.

그 후로 나는 종종 읽고 싶은 책이 학교 도서관에 없을 때 책을 빌리기 위해서 또는 주로 시험 기간에 열람실에서 공부하기 위하여 중앙도서관을 방문했었다.

고등학생이 되어 옆 동네로 이사를 간 뒤 미추홀 도서관이 가까워진 나는 중앙도서관에 가지 않게 되었고 그렇게 나의 첫 공공도서관은 잊혀갔다.

고등학교 3학년 때 대학을 진학하기 위해 여러 진로를 살피던 나는 우연히 눈에 익는 학과를 발견했고 그것이 문헌정보학과였다. 학교 도서관, 그리고 중앙도서관으로부터 좋은 기억을 가지고 나도 그런 멋진 사서가 될 수도 있겠다 생각했다.

졸업 시즌이 되어 진로를 다시 고민하게 된 나는 전문도서관, 대학도서관 등 다양한 관종의 도서관 중에서 고민했다. 결국 고민 끝에 나에게 처음으로 도서관이라는 곳을 알게 해준 공공도서관에서 일하고

자 사서 공무원에 도전했고 운이 좋게도 합격했다.

합격의 기쁨과 함께 2주간의 연수 기간 중 2일동안 사서 교육을 받았는데 교육 장소가 인천 중앙도서관이었다.

거의 10년 만에 다시 온 중앙도서관은 모든 것이 달라져 있었다. 기억 속 나무 서가와 열람대는 신식 철제 서가와 콘센트가 달린 열람대로 바뀌어 있었고 자가대출반납기, 스마트도서관 등 최신 도서관 시스템을 갖추고 있었다. 교육을 받으면서도 너무나 깔끔해서 감탄했고 이런 도서관에서 일하고 싶다고 생각했었다.

연수 마지막 날 우리는 초임발령을 받게 되었는데 나는 운명처럼 인천광역시교육청 소속 8개의 도서관 중 중앙도서관에 발령받게 되었다.

중앙도서관은 나에게 이용자로서 첫 공공도서관이자 사서 공무원으로서 첫 도서관이 되었다.

지금은 한 명의 사서 공무원으로서 첫 발령지인 중앙도서관에 1년 9개월째 근무하고 있다. 처음 연수를 받을 때 완벽해 보이던 도서관이 직원으로 일을 하면서, 또 이용자들이 이용하는 모습을 보면서 조금씩 부족함이 보였고 지금은 열심히 더 좋은 도서관을 만들기 위해 모든 직원과 함께 노력하고 있다.

모든 처음은 특별하게 기억된다.

하지만 이용자로서 첫 공공도서관이자 사서로서 첫 도서관인 인천 중앙도서관은 내가 사서로 사는 동안, 아니 내가 책과 함께하는 동안 마음의 고향으로 언제나 더욱더 특별하게 기억될 것 같다.

명랑사서 성장기, 1

안녕하세요! 제가 K대학교의 문헌정보학과(당시 명칭은 '도서관학과')에 입학한 것은 첫 번째, 대입학력고사(지금의 대학수학능력시험) 성적으로 안정권에 들어서였고 두 번째, 책을 좋아한다는 심플한 이유 때문이었어요(지금도 그런 인식이 강한데, 나 역시 도서관 안으로 진입하기 전에는 '사서'가 '책 읽는 직업'인 줄로 알고 있었다). 여고 시절, 그 지역은 여자고등학교가 1개, 인문계와 공업계 남자고등학교가 각각 1개인 소도시였는데 방과 후에 집으로 곧장 가지 않고 분식집에만 들러도 학교 밖 순찰을 하던 학생주임 선생님으로부터 추궁받는 시절이었어요.

마침, 소심한 저는 책을 읽는 것 말고 딱히 소일거리를 가질 형편도 아니었고요. 삼중당 문고본으로 읽은 「테스(토마스 하디 지음)」가 영화로 만들어져서 그 지역 유일한 극장에 들어왔는데, 얼마나 간절했던지 야밤에 어른인 척 사복 차림으로 숨어들 듯 관람했던 게 가장 큰 일탈이었다니까요. (당시 학생의 극장 출입은 단체 문화영화 관람만 허용되었었다.)

그 시절에는 종이 카드로 도서 대출을 기록했고, 도서관의 모든 시스템이 수작업으로 이루어졌어요. 이용자들과의 관계도 익명적일 수가 없었어요. 인터넷도 없고, 모든 것이 아날로그였죠. 지금의 환경과 비교하면 이러한 과정들이 번거롭게 느껴질 수도 있겠지만, 그 시절의 아날로그적인 업무 프로세스는 도서관의 기본을 배우고 이용자와 소통하는 힘을 기르는 데 큰 도움이 되었어요.

사실 공공도서관 업무 첫 경험은 공식 임용 전 수습 사서 시절이에요. 신설 도서관 준비단으로 미리 일할 수 있겠냐는 제안을 받고 일을 시작하게 되었어요.

아직 완공 전인 도서관의 사무실에서 과장님 세 분과 경리계장님 그리고 동기 사서 한 명과 함께 두어 달 근무했는데, 수습 사서 둘은 개관을 위한 구입 도서 목록을 작성하는 일이 맡은 업무였어요. 그러고 보니 저 외에는 모두 남자 직원이었네요.

출근하면 처음 하는 것은 사무실을 깨끗이 정돈(재떨이 비우는 것도 포함해서)하고 커피를 타는 일이었어요. 커피 2, 크림 2, 설탕 2스푼의 비율을 기본으로 요리조리 나름 정성스럽게 맛을 조절했는데 "○ 선생 커피가 젤 맛있어." 한마디에 기분이 좋던 어린 시절이었네요. 아침마다 커피를 타고 사무실을 정돈하는 일이 자존심 상하거나 짜증스럽거나 하지 않았어요. 그냥 그래야 하는 줄 알았어요. 모두 저의 상사들이었고, 동기 사서도 군 복무를 다 하고 온 졸업 연도가 같은 OB(Old Boy)였거든요. (요즘 시대에는 이런 경우가 성차별, 갑질 문화⋯이런 것? 영화 <인턴>의 한 장면이 스친다, '사회는 세대 차이로 구별하여 일하는 게 아니라 자신만의 특징으로 섞이는 것이다.')

어쩌면 저의 그런 예의와 정성 때문에 그때 도서관 개관 준비 업무를 함께 했던 그분들에게서 더 큰 대접을 받은 듯해요. 업무는 수월하게 추진될 수 있도록, 일신상으로는 아픔이 없는지 정말 잘 살펴주셨어요, "○ 선생이 하는 일은 다 오케이!" 신참내기 시절의 그 기억들이 오랜 세월 저를 잘! 버티게 해주었어요.

근무하는 동안 다른 사서들과 힘을 모아 많은 프로젝트를 진행했어요. 어린이·청소년 독서교육, 성인 평생학습, 작가와의 만남, 시민 저자 낭독회 등 다양한 행사를 기획하고 실행하면서 매일 새로운 이야기가 펼쳐지는 도서관에서, 저는 수많은 이용자와 소통하며 각양각색의 에피소드를 경험했어요. 도서관의 하루하루는 청구기호 순서대로 가지런한 서가들처럼, 정돈되어 있지 않아요. 시시로 다가오는 민원인에게, 매뉴얼에 따라 논리적으로 대응하길 포기하고 노예 모드로 급전환할 때도 많고요. 도서관 문을 여는 시간부터 정교한 지식의 보고가 서서히 흐

1996년 9월 2일 신문 기사

트러지면, 그만큼의 자극으로 도미노처럼 무너지는 심신을…그러나 타고난 항(抗) 피로 체질일까요? 다음 날 도서관 문을 열 때에는 오뚝이처럼 중심을 잡는 몸과 마음!

지워지지 않고 남아있는 신참내기 시절의 경험담

인데요. 1990년대 공공도서관에서는 어린이(청소년) 방학 독서교실이 손꼽히는 행사였어요. 초등학생 40명(중학생은 60명) 정도를 모집하고 10일간(15일간 운영한 기억도 있다.) 학교 수업 형식을 본뜬 시간 계획을 세워서 책 읽기부터 글쓰기, 우수 독후감상문 시상까지 진행되는 독서교육 프로그램인데, 기간 내내 사서가 담임 역할을 해요. 참고 교재가 없었던지 스물다섯 살 초임 사서의 열정이었던지 나만의 독서 교육교재를 만들어 가면서 참가한 아이들에게 정성을 쏟았어요. (여름·겨울방학 독서교실을 5년 정도 담당하였는데, 매번 체중이 몇 킬로그램씩 줄었었다)

독서의 필요성, 좋은 책 고르기, 독서법, 책 읽기, 원고지 작성법, 독후감 쓰기 등등 아이들과 얼굴을 맞대고 프로그램을 진행하는 동안 꽤 사이가 돈독해져서 수료식 날에는 서로 끌어안고 훌쩍일 정도였어요. 심지어 한번은 수료식이 끝나고 뒷정리를 하는데 촌지봉투를 들이미는 부모님이 계셨다니까요. 수료식 마치고 빠이빠이 하고 나면 아무런 관계도 아닌데요.

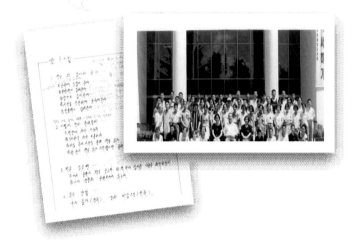

나만의 교육교재

여름 독서교실 수료
기념사진(1996. 7. 31.)

　　부모 손에 떠밀려 마지못해 참여했던 아이에게 관심을 주고 꼼꼼하게 지도한 끝에 쓰기 실력이 일취월장하여 우수 독후감상까지 받았을 때, 프로그램으로 인연이 닿은 아이들이 다시 도서관을 찾아왔을 때는 이루 말할 수 없는 기쁨을 느꼈어요.

명랑사서 성장기, 2

도서관에서 어린이(청소년) 독서교육을 위해 심혈을 기울였지만 내 아이 독서교육은 세심하게 들여다볼 여유가 없었어요. (자식 교육에 애를 태우는 성향의 부모도 아닌 데다가, 돌봄 노동을 포함한 독박 가사로 고군분투하던 워킹맘이었다.) 다만 저 나름의 방식으로 아이 주위에 늘 책을 두었고, 책은 우리 가족에게 지식을 나누고 대화를 이어가는 소중한 연결점이기도 했어요. 저의 경험칙으로 보자면 내 아이 독서교육은 더도 덜도 말고 '몸소 실천'이 최상이에요. '내가 읽으면(읽는 흉내라도 내면) 아이가 읽는(흉내라도 낸)다.'는 것이 진리!

저는 주로 아들 손 닿는 곳에 책을 은근슬쩍 던져 놓는 편이었어요. 문학이나 역사 쪽 책들은 아이들이 대체로 쉽게 접하니까 중학생이 되고 나서는 수학과 과학 관련된 도서들을 챙겨서 읽게 했어요. (문과 부부의 자식이므로 이과 분야 공부가 우려되었다.)

아들의 수능시험이 끝난 후에 지인 가족과 저녁 식사하는 자리가 있었어요. 지인은 아이가 막 중학생이 되는 참이어서 학습지도 특히 수학 과목에 신경 쓰는 시기였던 것 같아요. 아들의 수능시험 수학 과목이 고득점인 것에 큰 관심을 보였어요.

"너는 어떻게 해서 수학을 잘할 수 있게 되었어?"라고 물으니 "엄마가 중학교 때 수학책을 많이 권해주셨는데, 그게 수학에 흥미를 갖게 하고 또 공부하고 싶게 만들었어요."라고 대답했어요.

아들에게서 그런 말을 처음 들어 심쿵했고, 제 나름의 책 권하는 기술이 아들의 성장 과정에서 가치 있는 역할을 했다는 생각에 참 뿌듯했어요.

2000년대 공공도서관은 마치 절간처럼 조용해야 하는 곳이었어요. 어린 아들은 주말 근무를 하는 엄마를 따라 가끔 도서관에 왔지만, 항상 "조용히 해"라는 사서 엄마의 지시에 마치 숨도 제대로 쉴 수 없을 만큼 조용히 있어야 했기에 도서관에 대해 비호감이 생겨 버렸다지요. 책을 읽는 것도 좋아했지만 도서관에서의 경험은 즐거움보다는 스트레스가 되었고 자유롭지 못한 곳이어서 싫어하게 되었어요.

그 아이가 20대 청년이 되어서, 리모델링 바람을 타고 새로운 모습으로 변신한 공공도서관이 도서관에 대한 묵은 감정을 씻어버릴 수 있을 만큼 신선한 충격을 주었다고 해요. 도서관은 더 이상 조용하기만 한 장소가 아니라 지식과 소통이 어우러지는 공간으로 바뀌었으니까요. 도심에 있는 공공도서관을 찾아 공부도 하고 책도 읽고 친구도 만나고 한다더니, 애초 중고 서점으로 가려 했던 품질 좋은 인문 교양서 여러 권을 그 공공도서관에 기증했다고 해요.

공공도서관의 일반열람실에 대한 관념이 많이 바뀌었어요. 몇 년 전까지만 해도 공공도서관 열람실은 남녀노소를 구분 지어 이용 제한을 하고 성인 전용 열람실을 따로 운영하기도 했어요. 요즈음의 추세는 개인 학습을 위한 일반열람실은 축소하면서 자료실 기능은 강화하고, 독서와 학습이 어우러지고 세대 간 구분 없이 함께 머무는 복합 공간을 추구해요.

최근에는 열람실 소음 민원으로 힘들었어요. 연세 지긋한 이용자가 사무실 문을 벌컥 열고 들어와 고함을 칩니다.

"공무원이 말이야, 일을 안 해 일을, 열람실 안에서 어린 학생들이 모여서 소곤소곤 떠드는데, 도대체 관리 감독하는 사람이 없어, 거슬러서 못 살겠구만!"

며칠간 눈여겨봐 왔던 학생들이며, 여러 번 주의를 주었는데도 개선의 여지가 없다는 어르신의 불만을 오롯이 듣고 그 문제의 학생들을 찾아보니, 둘이 속닥속닥 주거니 받거니 수학 문제를 풀고 있었어요. 가까이에서 공부하고 있자면 살짝 신경이 쓰일 수는 있겠다 싶어 여차저차한 분위기를 학생들한테 전하고 열람실에서 (학습) 토의는 삼가며, 둘이 떨어져 앉으라는 부탁도 곁들였지요. 넓은 열람실에 빈 좌석도 많아 어르신이 자리를 옮겨도 좋으련만…그다음 날 그 어르신 또 사무실 문을 벌컥 열고 들어옵니다.

"그 학생들이 보이지 않는데, 어떻게 얼마나 야단을 쳤길래 학생들이 공부하러 못 오는 것이냐, 왜 나를 나쁜 사람으로 만든 것이냐……."

또 '공무원'을 나무라셨어요. 거의 시리즈 수준으로 꾸지람을 들었기에 트라우마가 생긴 저는 열람실 관리에 더욱 신경이 쓰였는데, 바로 그날은 열람실에서 서가 조정 작업을 하고 있었어요. 공교롭게 그 남학생들이 앉았던 그 자리에, 고만한 또래의 여학생들이 딱 고만한 수준의 소음을 발산하고 있는 걸 목격했어요. (연이은 논란의 중심이 된 그 열람석은 출입문 쪽인데, 아마 그 위치가 학생들한테 약간 여유롭고 각 잡힌 느낌이 덜 드는 자리인 듯하다.) 열람실에는 작은 소리에도 학습에 방해를 받는 이용자들이 많으니, 대화를 자제하라 일렀는데, 그 또래 아이들이 대개 그렇죠, 단박에 소음이 그치지 않기에 다시 가서 주의를 주면서 서로 떨어져 앉아 공부하면 안 되겠냐고 참견했지요. 제가 귀띔을 하고 얼마 지나지 않아 여학생들이 가방을 갈무리하는 모습이 보였어요. 미안한 마음이 들어 물었지요.

"내가 자꾸 잔소리해서 가는 거예요?"
"아니요, 배가 고파서 뭘 좀 먹으려고요."

그런데 얼마 지나지 않아 그 여학생들이 열람실에 있는 제게 살금 다가왔어요.

"아까 떠들어서 죄송했어요."라며 바나나맛 우유를 건네는 게 아니겠어요. 놀라워라!

십 대 이용자들의 소곤거림에 대하여 몇 날 며칠 '공무원'을 야단치던 어르신과, '죄'랄 것 없는 자기 행위에 발 빠른 십 대들의 사과가 대비되어, 달콤 쌉쓸한 엔딩이었네요.

도서관은 인문·사회과학 영역에 속해요. 알다시피 인문·사회과학은 자연과학처럼 늘 확실하고 논리 정연한 법칙대로 움직이는 것이 아니지요. 다양한 사람들의 의지가 개입된 사회현상에 영향을 받는 분야예요.

도서관의 알고리즘은 책 대출과 반납뿐만 아니라 사람들이 어떤 책을 좋아하고 어떤 주제에 관심을 가지는지에 대한 데이터를 조사하고 수집해요. 그리고 이 데이터를 통해 이용자들의 관심사를 파악하고 그에 따라 맞춤 프로그램을 기획합니다.

어느 날은 옆 공원에서 뛰어놀 줄만 알았던 어린 아이가 도서관에 와서 첫 책을 빌리며 보여준 설렘을, 또 어느 날은 나이 드신 분이 책을 반납하며 건네준 따뜻한 말과 미소를, 그리고 오랫동안 독서토론 회원들에게서 받은 애정과 신뢰를 기억해요.

사서와 도서관 이용자, 지역사회 모두가 도서관 컬처의 편집자이자 공저자라고 생각해요. 우리 함께라면 도서관이 더욱 풍부한 콘텐츠를 가진 우리들의 공간으로 성장할 거라고 믿어요.

생각건대 대학 입학 원서를 놓고 고민하던 그때, 대학 졸업 후 길을 잡지 못해 주춤거리던 시기를 넘어 드디어 내 삶의 트랙에 오르는 첫발을 내디딜 때, 그때 그 선택이 제 인생에 결정타였네요. 그 이후 주욱 도서관 알고리즘*에 의해 관리되는 삶을 살고 있다고 볼 수 있으니까요. 도서관을 떠날 때 '아, 좋았다!'라고 말할 수 있게, 끝까지 공들여 일하는 사서가 될 거예요.

* 도서관 알고리즘: 사서로 살아온 여정이 나(사서)와 타인(이용자), 통계와 관심사 등을 재료로 효율적인 결괏값을 내는 도서관 업무 프로세스와 닮아 있음을 비유해 봄

못다 이룬 선생님의 꿈을 이루다!

지금은 어떤지 모르겠지만, 내가 학교에 다니던 때에는 새로운 학기가 시작될 때쯤 필수로 조사를 하던 항목이 있었다. 바로 '장래 희망'이었다. 정확히 기억은 나지 않지만, 때가 되면 늘 담임 선생님이 나누어 주신 종이에 나의 장래 희망과 부모님이 원하는 나의 직업을 나란히 적은 뒤 선생님께 제출하곤 했었던 기억이 있다. 그때마다 나의 장래 희망 1순위를 차지하는 직업은 '선생님' 또는 '교사'였다. 돌이켜 보면 꼭 선생님이 되고 싶었던 건 아니었지만 어른들이 으레 얘기하는 안정적인 직업이기 때문에, 그리고 부모님이 원하는 직업이었기 때문에 별다른 고민 없이 그렇게 적었던 것 같다.

그러나 대부분의 학생들이 그렇듯, 시간이 지날수록 내 성적으로 갈 수 있는 대학교와 학과가 확실하게 보이기 시작했다. 수업을 열심히 듣고 야간자율학습에 빠지지 않고 참석하는 착실한 학생이었지만, 슬프게도 성적은 나의 의지를 따라주지 못했다. 결국 고3이 될 무렵, 교대로 진학하는 건 다음 생에서나 가능하다고 생각될 법한 성적표를 받아 든 뒤 선생님이라는 꿈은 깔끔히 포기하게 되었다.

그렇게 꿈을 접은 뒤 성적에 맞춰 지원하게 된 학과가 문헌정보학과였다. 사실, 원서를 넣기 전까지만 해도 한 번도 생각해 보지 않은 분야였다. 한창 수능 준비에 바빠야 할 고3 시기에도 1년에 대출 권수가 200권이 넘어갈 만큼 열성적인 도서관 이용자였지만, 문헌정보학이라는 이름은 처음 들어 볼 정도로 이 분야로는 문외한이었다. 그러나 학문 이름조차 처음 들어보는 내가 이 학과에 지원하게 된 계기는 오로지 이 학과를 졸업하면 사서가 될 수 있다는 말 때문이었다. 짧은 시간 안에 새로운 진로를 탐색해야 했던 시기였기에 단순하게 내가 좋아하는 공간에서 일을 하게 되면 행복할 것 같다고 생각하지 않았나 싶다.

그렇게 우여곡절 끝에 가게 된 대학교는 나의 상상과는 아주 달랐다. 국어나 수학, 영어 등 학교에서 일상적으로 배우던 과목이 아닌 새로운 학문을 배우고, 일괄적으로 짜여져 나오는 시간표 대신 내가 어떤 수업을 들을지 선택하고, 직업 시간표를 채워야 했다. 다행스럽게도 나는 그런 대학교의 시스템이 아주 적성에 맞았다. 고등학교 때까지만 해도 성적이 늘 중위권에서 맴돌던 내가 공부에 흥미를 느끼기 시작하면서 매년 장학금을 받을 만큼 학점이 빠르게 올랐고, 공부한 만큼 성적이 잘 나오니 학과에 점점 더 흥미를 느끼게 되었다.

그렇게 대학을 졸업하고 임용 시험을 거쳐 지금은 정식으로 사서가 되어 도서관에서 일을 하고 있다. 선생님이 되지 못한 게 아쉽지는 않지만, 도서관에서 근무하면서 많은 사람들에게 '사서 선생님'이라 불리게 되었으니 못다 이룬 꿈을 반쯤은 이루게 되었다고 봐야 하나. 교육청 소속 공무원이면 어쨌든 학교 선생님들과 소속은 같은 셈이니 내가 선생님이 되길 바랐던 부모님도 어느 정도는 만족하셨을 거란 생각이 든다.

그런데 최근 들어 이런 반쪽짜리 선생님 대신 정말로 선생님의 꿈을 이룰 기회가 생겼다. 바로 도서관에서 진행하는 견학 프로그램을 담당하게 되면서부터다. 우리 도서관에서는 유아나 초등학생을 대상으로 1일 도서관 교실이라는 견학 프로그램을 진행하고 있다. 아이들이 견학을 오면 방문한 아이들의 연령대에 맞춰 도서관을 안내하고, 도서관에서 지켜야 할 예절을 함께 배워 보거나 간단한 독서 프로그램을 진행하기도 한다. 방학을 제외한 학기 중에는 거의 매일 견학이 있는데, 견학이 진행되는 그 한 시간 남짓한 시간만큼은 내가 한 반을 맡아 선생님의 역할을 완벽하게 수행해야 한다. 물론 담당 선생님께서 수업이 원활하게 진행될 수 있도록 아이들을 통솔해 주시기는 하지만, 아이들이 수업 내용에 집중하고 도서관이라는 공간에 흥미를 느낄 수 있도록 만드는 것은 오롯이 나의 역할이기 때문이다.

같은 나이대라고 해도 기관에 따라, 그리고 통솔 교사의 역할에 따라 수업을 진행하는 나의 체감 난이도는 천차만별이다. 가끔 노련한 솜씨로 아이들을 통솔해 주시는 분이 오실 때는 땀 한 방울 흘리지 않고 수업을 마칠 때도 있다. 친구와 쉴 새 없이 재잘거리는 아이들을 조용히 시키느라 진땀을 빼기도 전에, 가지런히 자리에 앉아 초롱초롱한 눈으로 바라보는 아이들의 눈을 보고 있자면, 한 시간 동안의 수업 시간이 짧게 느껴질 때도 있다. 하지만 모든 견학이 그렇게 순조롭게 진행되는 것은 아니다. 하고 싶은 말이 너무 많아 내가 말할 기회를 주지 않는 아이들도 있고, 반대로 어떤 질문에도 대답하지 않아 수업에 애를 먹는 경우도 있다. 특히 유아들을 대상으로 견학을 진행할 때는 더욱 많은 애로사항이 따른다. 수업 도중 옆 친구와 싸워 눈물을 터뜨리는 아이들부터 시작해서 바닥에 눕거나 뛰어다니는 아이들이 있는데, 그럴 때마다 수업이 원활하게 진행될 수 있도록 상황을 정리해 주시는 선생님들의 노고를 느끼곤 한다.

그렇게 매일 견학을 진행하다 보면 가끔 내가 선생님이 되었다면 어땠을까를 상상해 보게 될 때가 있다. 만약 장래 희망란에 적었던 대로 열심히 공부해서 선생님이 되었다면 어땠을까? 만약 그랬다면 지금의 상황에 더 만족을 느꼈을까? 지금에서야 드는 생각이지만 그렇지만은 않았을 것 같다. 물론 선생님이 되어 아이들을 가르치는 것도 좋았겠지만, 나는 여전히 책에 둘러싸여 일할 수 있는 도서관이 좋기 때문이다.

사서라는 직업이 매력적인 이유는 여기에 있다. 언뜻 보기엔 정적인 업무를 하는 것처럼 보이지만 결코 한 가지 역할에 머무르지 않는다. 일을 하다 보면 어떨 때는 서비스직이 되었다가, 어느 날은 프로그램 기획자가 되기도 하고, 지금처럼 선생님이 되어야 할 때도 있다. 이렇게 쉴 새 없이 바뀌는 포지션에 적응해 나가다 보면 절대 지루할 틈이 없다. 그래서 늘 새로운 마음으로 일을 할 수 있는 원동력이 되어 주곤 한다. 그렇기에, 지금 만약 주위에 사서가 되고 싶어 하는 학생들이 있다면 이렇게 말해주고 싶다. 혹시 어렸을 때 이루고 싶었던 꿈이 있었다면, 그 꿈을 버리지 말라고. 도서관에서 근무하다 보면 오래된 꿈을 이룰 수 있는 기회가 언젠가는 찾아올 테니까.

오늘부터 1일

200*년 1월 2일 월요일

거의 19년이 지났지만, 이날의 기억은 아직도 생생하다. 1년 6개월의 지난한 공시생 신분에서 벗어나 도서관 사서로 첫 출근을 하는 날이었기 때문이다.

나의 첫 발령지는 개관한 지 2년이 채 안 된 도서관의 아동열람실이었다. 새로 지어진 반짝반짝한 도서관에서 귀여운 어린이 이용자를 만날 생각에 마음이 들떴다. 친절하고 유능하며 멋진 사서의 모습(무척이나 막연한 이미지로)으로 근무하는 나를 상상하며 첫 출근을 기다렸다.

드디어 첫 출근일, 나의 사서로서의 1일이 되었다.

그날 아침 부모님이 공무원 합격 축하 기념으로 마련해주신 정장을 단정하게 차려입고 거울 앞 내 모습을 몇 번이나 점검했다. 가족들의 배웅을 받으며 설렘 반, 두려움 반으로 현관문을 나서던 그 마음이 아직도 손에 닿을 듯 생생하다.

그리고 이 글을 쓰고 있는 지금, 날짜 계산 어플로 확인해 보니 내가 사서로 일한 지 6,700여 일이 지났다. 꽤 오랜 시간이 지났지만, 첫 출근길에 상상했던 친절하고 유능하며 멋진 사서의 모습에 내가 얼마나 가까워졌는지는 잘 모르겠다.

다만 그 후 나는 여러 도서관을 거쳐 다양한 업무를 경험했고 많은 사람들을 만났다. 모든 인생이 늘 즐거울 수만은 없듯이 나도 사서로서 보람되고 가슴 벅찬 순간이 있었던 반면, 직장인으로서 서럽고 치사스러운 날도 있었다.

무엇보다 내 처음의 선명했던 마음은 흐릿해지고, 열정의 온도는 점점 차갑게 식어가는 모습을 발견할 때가 있다. 그럴 때 첫 출근길, 사서로서 1일째 아침 나의 마음을 떠올리면 내 안의 소중한 무언가를 잃어버린 듯한 기분이 든다.

하지만 이런 쓸데없는 기분은 잠깐일 수밖에 없다. 그도 그럴 것이 나보다 훨씬 더 오랜 시간 사서로서 도서관과 함께 걸어 오셨지만 늘 처음처럼 열정이 넘치는 선배님들, 근무 기간은 짧아도 도서관에 대한 깊은 애정을 가진 후배님들을 보면 아주 잠시라도 그런 생각을 했다는 것이 부끄러울 따름이다.

그리고 조금만 발상을 전환해 보면 아직도 나는 도서관에서 처음인 것투성이다. 올해만 하더라도 처음으로 도서관의 주무과인 독서문화과의 차석 업무를 맡으며 선배님들의 가르침, 후배님들의 지원을 받으면서 사서로서 성장하는 하루하루를 보내고 있다. 내가 좋아하는 작가의 말을 빌리자면, 왠지 좀 뻔뻔한 것 같지만 수업료를 내는 게 아니라 월급을 받으며 조금씩 더 나은 사서가 되어가고 있는 것이다.

앞으로도 사서로서 첫날 아침의 그 마음가짐이 스러지지 않도록 늘 정진하고 노력하는 사서가 되어야겠다고 다짐해 본다.

선배 사서와 꼰대 사서의 중간쯤

나는 책이 좋아서, 도서관 사서가 되고 싶어 전공을 선택하고 대학을 간 건 아니었다. 부모님도 내가 책을 좋아하는지, 적성에는 맞는지, 그렇다고 진로를 염두에 두고 제안하신 것 같지도 않다. 아버지와 나눈 대화 중에 여자가……라고 하신 게 기억에 남는 걸 보면.

　나에게 도서관이란 초등학교 운동장 한편에 담쟁이덩굴로 뒤덮여 미지의 세계로 들어갈 것 같은 느낌을 주는 곳이었다. 그래서 단지 학교 도서관에 자주 놀러 갔던 것뿐이었다.

대학 입학 후에도 내 맘이 달라진 건 없었다. 배워야 하는 교과목이 도서관사, 자료 분류법, 목록학, 도서관 경영학, 정보학 개론 기타 등등 교과목 이름은 낯설고 재미도 없고, 적당히 공부하고 그저 뒤처지지 않는 학생이었다. 사서 실습도 대학에서 자료 정리 위주로 업무를 배우고 이용자와의 교감 없이 실습을 마쳐 별다른 감흥이 없었다.

내가 도서관과 사서라는 직업에 관심을 갖게 된 건 졸업을 앞두고 공공도서관에서 두어 달 아르바이트를 하게 되면서 도서관 안에서 이루어지는 일을 곁에서 보고 사서 업무를 직접 해 보면서 직장인 사서에 대해 관심을 갖게 되었다.

사서과(지금의 정보자료과)에서는 한국십진분류법 책을 펼쳐놓고 도서관에서 구입한 책을 실제로 분류하는 업무도 해보고, 서명, 주제, 저자 등으로 검색할 수 있게 목록함을 정비하는 단순한 일에도 신이 났었다. 내가 아는 걸 업무에 적용해 보고 이용자들의 간단한 질문이지만 도움을 주고 찾아줄 수 있다는 게 신기하고 재밌는 예비 사서의 마음이지 않았을까.

도서관이 이런 단순한 일만 하는 곳이 아니라는 걸 사서들은 안다. 수서, 정리 업무 외에도 독서문화 행사, 자료실 운영, 학교도서관 지원, 평생학습, 행사 홍보 등 다양한 업무를 맡게 된다.

나는 새내기 딱지를 떼고 2년 정도 도서관 경력이 쌓이면서 자료 정리 업무와 학교 도서관 지원 사업을 맡게 되었다. 나 혼자 단독사업을 진행해 본 경험도 없이 학교 도서관을 방문해 도서관 운영에 관한 사항을 컨설팅하고, 자료입력을 돕고, 학부모 자원봉사자 교육까지 해야 한다는 중압감은 공포로까지 다가왔다. 사서들의 성격이 대부분 MBTI I의 성격을 갖고 있는 편이 많고, 나 역시 활발한 성격도 아니고 대중 앞에서 이야기를 해 본 경험이 많은 것도 아니라서 업무를 맡게 되면서 스트레스를 많이 받았다.

사막같이 쩍쩍 갈라진 마음에 단비를 내려준 건 옆자리 팀장님이었다. 발령 나고 얼마 되지 않아 어려워 말도 못 붙이고 있는데, 선뜻 의자를 끌고 와 본인이 담당했을 때 어떻게 컨설팅을 해줬고 어떤 책을 보고 공부하면 되는지 꼼꼼히 알려주셨다. 지금이야 인터넷 서핑만으로도 인천, 타 지역에서 이루어지는 다양한 사례를 쉽게 찾아볼 수 있지만, 1990년대 후반이 되어서야 인터넷 서비스가 보급되었으니, 1990년 초반엔 선배님의 경험담, 관련 도서를 찾아보는 거 외엔 별다른 방법이 딱히 없었다.

이렇게 열심히 배우고 익힌 지식을 가지고 학교도서관 실무지원을 가는 첫 출장길에 팀장님, 과장님이 함께 가 주셨다. 초보운전이라고 써 붙인 과장님의 새 차를 타고 두근두근하는 마음으로 조심스럽게 운행했으나, 신호위반으로 경찰 아저씨의 호출에 두 손 싹싹 비는 웃지 못한 일이 생기기도 했다.

첫 출장에서는 그동안 준비하고 배운 걸 모두 쏟

아내지는 못했지만, 학교도서관 담당 선생님과의 컨설팅 내용을 팀장님이 좀 더 짜임새 있게 채워주는 모습을 보면서 앞으로의 상담을 계획해 보게 되었다. 이런 산 경험이 얼마나 큰 배려를 받고 가르침을 받은 건지 새삼 느끼게 된다.

이런 경험이 새로운 사업을 하거나 아이디어가 떠오르지 않아 고전을 할 때는 국립중앙도서관, 국회도서관 홈페이지에서 자료를 찾아보고 관련 도서, 정기간행물을 찾아보는 좋은 습관이 되었다.

학교도서관 업무를 맡아 배우며 학교도서관 업무 매뉴얼, 업무편람 2종의 자료를 책으로 만들어 배포하기도 했다. 이렇게 글로 배웠던 나는 담당 업무를 맡으며 하나씩 하나씩 배우고 채워가는 사서가 되어갔다.

겨울 · 여름독서교실을 운영하고, 도서관 체험교실을 하며 만난 어린이들에게 독서의 중요성을 강조하면서 어린이 독서교육에도 관심을 갖게 되었다. 그 관심은 청소년 독서, 성인 독서, 인문학으로 자연스럽게 이어지고 맡은 업무에 따라 경험도 쌓이고 성장한 것 같다.

하나씩 배우고 성장한 나는 어떤 선배가 되어있을까? 꼰대 같은 선배가 되어있는 건 아닐까? 후배들은 궁금하지 않을 지난 이야기를, 전설 같은 이야기라며 들려주고, 괜찮다는데 자꾸 주변 동료들이랑 소통하고 지내라 하고, 궁금하거나 의논하고 싶은 게 있으면 언제나 괜찮으니 편하게 내게 이야기하라고 하고 있다. 나 혼자 뒤늦게 내가 받았던 도움을 누군가에게 돌려주고 싶어 맘이 근질근질해하고 있다. 떨어져 있는 의자를 자꾸 그들 곁으로 붙어 앉고 싶어 한다. 이러면 후배들이 부담스러워하고 싫어한다고 머리만 알고 마음은 실천 못 하고 있다.

30년 동안 신규로 발령받아온 새내기의 사수가 되어 만난 직원은 두 명이 있다. 그 당시에는 나도 배울 게 많고, 해야 할 일도 많아 제대로 들여다봐주고 챙겨주지도 못한 것 같은데 어느새 스스로 성큼 자라 제 몫을 훌륭히 해내고 있는 모습을 보면 자식이라도 된 양 으쓱하고 기특하고 그렇다. 등 두드려주고 싶고, 안아주고 싶고, 항상 응원의 박수를 보내고 있다.

우리가 살아가는 환경이 변해가듯 사람과의 관계 맺는 방법도 변해가는 거 같다. 살아온 환경이 다른 사람들이 모이고, 각자의 관계 맺는 방식이 다를 텐데 예전에 살아온 경험이 좋으니 그렇게 살기를 강요할 수도 없고 고집할 수 없다는 것도 안다. 도서관 한 울타리에 같이 있지만, 고참 사서, 중견 사서, 새내기 사서, MZ 사서 모두 각자의 방식대로 관계를 맺고 살아가고 있는 거겠지.

그럼에도 얘기해 주고 싶다. 동료와 함께하면 혼자보다는 외롭지 않고 일도 즐겁다고.

사서는 도서관에서 계를 탄다!

덕계못이라는 말이 있다. '덕후는 계를 타지 못한다.'의 준말로 아이돌이나 운동선수, 게이머 등 소위 자신이 덕질하는 대상은 직접 만나기 어렵다는 말이다. 하지만 도서관 사서로 일하면서 종종 계를 타게 되는 일이 있다. 바로 내가 좋아하는 작가님을 직접 만나게 될 때이다.

물론 도서관에 내가 좋아하는 작가가 제 발로 찾아오는 일은 일어나지 않는다. 작가님을 도서관으로 '모셔 오기' 위해서는 섭외라는 과정을 거쳐야 한다. 당연한 말이겠지만 내가 좋아하는 작가하고만 일을 할 수 있는 것도 아니다. 예산 문제 때문에 너무 유명한 작가는 섭외하기 어려울 때도 있고, 적은 예산에도 기꺼이 와 주겠다는 답신을 받았다고 해도 작가의 스케줄이나 기관의 사정 때문에 섭외가 불발되는 경우도 있기 때문이다. 그렇게 많은 어려움을 뚫고 최종적으로 작가 섭외가 이루어지게 되는데, 운이 좋게도 도서관에서 일을 시작한 지 채 1년도 되지 않았을 무렵에 내가 학생 때부터 정말 팬이었던 작가님을 만날 수 있는 기회가 있었다.

정식으로 사서가 되고 난 후 첫 근무지에서였다. 그때의 나는 일반자료실로 발령받아 근무하고 있었는데, 그해 바로 코로나가 터지는 바람에 갑작스럽게 휴관해야 하는 상황이었다. 휴관을 하게 되면 직원들이 할 일이 없어 놀거나 심지어는 출근을 하지 않을 거라고 생각하는 사람들도 있지만, 휴관 중에서도 도서관 내에서의 하루는 바쁘게 흘러간다. 대면으로 진행하던 강의를 전부 비대면으로 돌려야 하고, 휴관으로 인해 발생하는 민원들에 대해 즉각 대응해야 하며, 도서관에 직접 방문할 수 없는 사람들에게 비대면으로 도서를 대출해 줄 수 있는 방안을 끊임없이 한다. 또한 휴관한 틈을 타서 장서점검도 해야 하고, 쏟아지는 전화 문의를 받다 보면 하루가 금방 지나가곤 하는데, 내가 근무하던 도서관의 자료실에서도 밀려드는 도서 택배 서비스 신청과 무인 대출 문의들로 평소보다 더 바쁜 한때를 보내고 있었다.

그렇게 시간이 흘러도 코로나가 잠잠해질 기미는 보이지 않고 그에 따라 휴관이 기약 없이 길어지던 무렵이었다. 다사다난했던 한 해가 지나고 연말이 다가올 즈음, 도서관에서 작가와의 만남을 진행하게 되었다. 내가 직접 진행하는 사업은 아니지만 작가와의 만남은 도서관에서도 매우 큰 행사이기 때문에 어떤 작가가 섭외될지 궁금함과 기대감을 가지고 있을 수밖에 없었다. 그런데 얼마 후, 최종적으로 섭외된 작가의 이름을 듣는 순간 눈이 크게 뜨일 수밖에 없었다. 자료실에서 근무하다 보면 아무래도 다른 사람들보다는 원하는 책을 마음껏 볼 수 있다는 장점이 있는데, 그렇게 손만 뻗으면 책을 볼 수 있는 환경에서도 무조건 새 책으로만 구매해서 조심스레 책을 읽은 후 다시 책상에 고이 모셔 두는, 그런 덕후에 가까운 팬심을 자랑했던 바로 '그' 작가님이 우리 도서관에 강연을 오시게 됐다는 것이 아닌가. 작가님의 강연 시간은 근무가 끝난 후 저녁 시간이었지만 그런 건 아무래도 상관없었다. 아니, 오히려 근무 시간이 아니라서 다행이라고 여겨야 할까. 그날은 무슨 일이 있더라도 강연 시간까지 도서관에 남아 있으리라 다짐하며 몇 날 며칠을 설레는 마음으로 지냈다.

그렇게 대망의 그날이 밝아왔다. 그날 아침, 나는 작가님에게 친필 사인을 받기 위해서 집에 고이 간직하고 있던 작가님의 책 중에서 단 3권만을 엄선하여 가방에 넣은 뒤 도서관으로 출근했다. 물론 모든 책에 작가님의 사인을 받고 싶었지만, 그렇게 되면 작가님께 너무 민폐가 될 것 같아 사인을 받을 책을 고르는 데만도 한참이 걸렸던 것으로 기억한다. 하지만 막상 작가님을 만나 악수도 하고, 함께 사진도 찍고 사인을 받는 시간은 누군가 일부러 빨리 감기를 한 것처럼 빠르게 지나갔다. 상상 속에서의 나는 작가님께 마구 팬심을 표현하고 있었지만, 현실에서의 나는 수줍게 인사를 마친 뒤 멀리서 강의하시는 모습을 바라보는 것으로 만족할 수밖에 없었다.

짧은 시간이었지만, 좋아하는 작가를 직접 마주했던 순간은 지루했던 나의 일상에 아주 커다란 이벤트가 되어 주었다. 지금도 내 책장에는 작가님의 친필 사인이 담긴 책이 고이 모셔져 있다. 그걸 볼 때마다 언젠가는 나도 좋아하는 작가님을 섭외해서 프로그램을 진행해 보리라 굳은 다짐을 하게 된다. 아직 내 책장에는 작가님의 친필 사인을 기다리고 있는 책들이 빼곡하게 꽂혀있기 때문이다. 언제가 될진 모르겠지만 묵묵히 일을 하다 보면 그때와 같은 순간이 나에게 찾아와 주지 않을까? 그렇게 나는 계를 타게 될 그날을 기약하며 도서관으로 출근을 한다.

미래, 사서의 자격은 특별해야 할까?

의회 행정감사가 있었던 날, 어떤 의원님이 질문을
했다. 챗 GPT가 일상이 된 AI 시대에 도서관에서
읽고 걷고 쓰는 '읽걷쓰' 사업이 필요한지, 다른 AI
사업으로 변환을 해야 하는 건 아닌지에 대한 질문
이었다.

'AI 시대에도 여전히 사람이 중심이 되어 사회가
작동되는 것이고, 디지털 사회가 가속화될수록 인간
성은 점점 더 매몰될 가능성이 크며, 사람과의 소통
이나 관계가 소원해질 것이므로, 도서관이 사람을 모
이게 하고 읽걷쓰와 같은 아날로그적 프로그램을 많

이 도입해서 사람이 살 수 있는 여건이 될 수 있도록 하려면 읽걷쓰와 같은 독서사업은 반드시 필요하다.'고 얼버무려 대답했다. 당시엔 무슨 얘기를 어떻게 했는지 정신이 없었는데 나중에 회의록을 보니 횡설수설이었지만 그래도 하고 싶은 얘기는 한 것 같았다.

어떤 간행물인지는 정확히 기억나진 않지만, 디지털 기술과 인터넷이 보편화된 이후 태어난 사람들을 가리켜 본 디지털(Born Digital)세대라고 하는 기사를 본 적이 있다. 이들은 온라인 환경에 익숙해져 있어 종이책보다 전자책 대출율이 높고, 챗 GPT와 같은 신기술을 이용하여 숙제를 하며, 글을 쓸 때나 그림을 그릴 때에도 AI를 이용하여 그 결과물에 자신의 창의력을 더하여 작품을 효율적으로 만들어 낸다.

또 도서관을 단순히 공부를 하거나 책을 빌려보는 곳이 아니라 읽은 책의 표지나 본인이 도서관을 이용하는 모습, 데이트하기 좋은 도서관 사진을 SNS에 올려 인증도 한다. 그들끼리 서로가 소통하는 또 다른 문화로 자리 잡는 듯하다.

「트렌드 코리아 2024」 저자 중 한 분이 도서관 관련 행사에 와서 강연하는 내용 중 요즘 10대 트렌드 키워드 중 하나가 분초사회라고 하는 걸 들은 적도 있다. 요즘 사람들이 시간의 가성비를 극도로 중요하게 생각해 시간이 돈만큼이나 중요한 자원으로 생각하는 일종의 사회변화의 하나라고 생각했다. 하기야 나부터도 요즘 짧은 숏 영상을 보거나 쉬는 휴일에 영화 몇 편을 하루에 몰아 보는 경우도 있으니 요즘 아이들의 추세라 하기엔 알맞은 얘기는 아닌 것 같다.

또 우리가 주시해야 할 흐름 중 하나가 디깅 모멘텀(Digging Momentum)이라 불리는 아름다운 과몰입현상이다. 특정 분야에 깊이 파고드는 열정을 의미하는데, 특정 음악 갈래를 좋아하는 사람들끼리 모여

독특한 음악컬렉션을 구축하거나, 영화 분야에서 특정 감독이나 장르에 몰입해서 감상의 깊이를 더하거나, 특정 가수에 몰입해서 팬덤을 구축해서 활동하거나, 여행에 몰입해 특정 지역이나 문화에 대한 여행 경험을 나누거나 하는 등을 말할 수 있겠다.

과몰입 과정에서 새로운 가치와 문화를 창출하는 요즘 트렌드 중 하나로, 이런 과정을 통해 개인의 삶에 풍성한 경험과 가치를 만들어 줄 수 있다는 면에서 아름답다는 표현을 해도 거북하지 않을 것 같다.

도서관 분야에서 디깅 모멘텀이라 부를 수 있는 건 동아리형태의 독서모임이 아닐까 한다. 고가의 독서클럽임에도 많은 사람들이 몰리는 것은 요즘 한 분야에 과몰입해서 자신을 위해 돈과 시간을 투자하는 새로운 형태의 트렌드라 볼 수 있다. 단순한 읽기를 넘어서 사유하고 직접 글을 쓰는 형태의 독서모임이 단순하게 생각하면 귀찮을 듯싶지만, 똑같은 책을 읽고 같이 토론하고 같이 쓰는 동료가 있어 가능한 것처럼 보이기도 한다.

그렇다면 이러한 시대적 변화 속에서 사서는 어떻게 변화해야 할까? 미래에 사라질 직업을 검색하면 도서관 사서도 나온다. 디지털 도서와 전자도서관이 많아지면서 종이 도서의 수요가 감소할 것이고 인공지능 기반의 검색 및 도서 추천 시스템으로 사서가 감소하거나 없어질 것이라 예측한다.

과연 그럴까?

인간이 공부하려면 몇천 년이 걸릴 데이터를 학습한 AI를 이길 수도 없고, 대적할 필요는 더 없지만, 이러한 기술적 결과물을 사실적 지식으로 받아들이기엔 아직 너무 이르다는 생각이 든다. 아날로그적 소통을 통해 AI와 이용자 간에 간극을 줄이고 어떻게 지식을 가공해서 제공해 줄 수 있느냐가 관건이긴 하다. 어쩌면 사람과 사람 간에 아날로그적 소통

역량이 AI가 만들어낸 결과물을 요리조리 붙이고 떼어서 정보를 재생산할 수 있는 또 다른 사서의 시간이라 생각한다.

분초 사회와 본 디지털세대를 이야기하고 독서 모임으로 대변되는 디깅 모멘텀을 이야기했지만, 세대의 특성이 다르고 취미가 다른 도서관 이용자에 대한 가장 큰 사서의 본분은 지금과 같이 열심히 소통하고 읽고 쓰고 사색하는 시간에 투자하는 사서의 아름다운 몰입이라 생각한다.

빠르게 변하는 기술 발전과 인간의 삶 가운데에서 좋은 콘텐츠를 생산하고 개발하는 사서는 여전히 미래에도 필요하다. 미래 사서의 시간을 위하여 오늘도 열심히 일하는 모습이 아름다운 오늘이다.

섭외할 결심

안녕하세요. OO도서관 OOO주무관입니다.

깜박이는 커서를 멍하니 본다.

'아, 쓰기 싫다.'

바라보기만 해서 글이 절로 써질 리 없다. 모르지
않지만…. 한동안 고정했던 시선을 거두며 임시저장
버튼을 누른 뒤 창을 꺼버린다.

'오후에는 꼭 쓰자.'

점심 식사 후 이 다짐은 '내일'로 수정된다.

마감이 임박하여 쫓기듯 업무하는 것을 싫어하는 나는 어떤 일이든 조금 일찍 시작하는 편이다. 혹 중간에 예상치 못한 일이 생겨 일이 꼬이더라도 돌아갈 수 있는 시간을 벌기 위해서다. 다른 사람들 눈엔 그저 성격이 급한 사람으로 보일 수도 있다.(틀린 말은 아니다.) 이런 내게도 반드시 하루 이틀씩 미루게 되는 일이 있다. 빨리 끝내버리고 싶어 하면서도 어쩐지 뜸을 들이게 되는, 모종의 결심이 필요한 일. 바로 '작가를 섭외할 결심'이다.

독서문화 프로그램을 기획하는 업무를 맡은 지도 어느덧 6년 차이지만 섭외는 늘 부담이 되는 업무이다. 섭외가 프로그램의 성패를 좌우한다고 해도 과언이 아니기 때문이다. 도서관을 잘 찾지 않는 사람들을 혹하게 만들어 끌어들이는 것도, 그들이 꾸준히 출석할 수 있게 만드는 원동력도, 8할 이상이 강연자의 힘에서 나온다. 물론 사서의 기획력이 바탕이 되어야 하겠지만 강연 자체의 매력이 떨어진다면 '대박'은 없다.

　고난은 섭외할 대상을 찾는 것부터 시작된다. 강의력, 인지도, 강연료, 경력 등 객관적으로 고려해야 할 것이 많은 데다 나와 동료 모두가 납득할 수 있는 사람을 추려야 하기 때문이다. 나는 알지만 동료는 모르고, 동료는 알지만 나는 모르는 이름들이 공중에 부유한다. 사서는 도서 전문가이니 선호하는 작가군도 비슷하지 않을까 싶겠지만, 독서 취향은 오히려 대부분 판이하므로 산발적으로 튀어나오는 이름들 속에서 공통 분모를 찾기란 여간 쉽지 않다. 그렇다고 해서 이 과정에 많은 시간을 할애할 수 있는 것도 아니다. 강연 일정에 맞추어 홍보와 수강생 모집까지 마치려면 절대적 시간이 충분하지 않기 때문이다. 게다가 안타깝게도 내 앞에 쌓인 업무가 작가 섭외 하나만이 아니라는 점도 고려해야 한다.

운 좋게 합의에 이르러 후보를 추려내면 인터넷 뉴스를 살피고 다른 기관에서 진행된 프로그램을 훑으며 최종 섭외 리스트를 작성한다. '최종'이라는 단어가 붙었지만 실은 겨우 첫발을 뗀 상태나 마찬가지다. 나는 보통 여기서부터 다른 자아를 하나 만들어 내는데, 좋게 표현해서 탐정이고 현실적으로는 흥신소 직원 쪽에 가깝다. 섭외를 완수하기 위해서는 상대에 대한 정보를 가능한 한 많이 알아내야 하기 때문이다. 그 정보가 개인적인 것이든, 대외적인 것이든 간에.

나는 게 중에서도 작가의 개인 연락처를 확보하는 과정을 가장 성가시게 여긴다. 개인정보보호에 대한 인식이 바뀌면서 개인 연락처에 접근하기가 쉽지 않아 보통은 출판사를 통해 섭외 의사를 전달하는 방식으로 업무를 진행한다. 이 경우 중간 전달자가 하나 늘어나는 것이므로 일이 급할 땐 개인 SNS를 이 잡듯 뒤져 연락처를 알아내거나, DM(direct-message)을 보내기도 한다. 간혹 자기 홍보를 위해 연락할 수 있는 루트를 여러 개 만들어 두고 인터넷에 공지하는 사람들도 있기는 하지만⋯, 아쉽게도 극히 드문 경우다.

지난한 과정 끝에 흥신소 직원의 자아를 내려놓는 순간이 오면, 힘겹게 얻은 메일 주소를 '받는 이'에 붙여놓고 이메일을 쓸 마음의 준비를 한다. 하지만 보통 이 시점에서 나는 이미 지쳐서 인사말까지만 쓴 채로 시간을 흘려보내곤 한다.

그러나 메일을 늦게 쓸수록 초조해지는 것은 나 자신. 입에 단 것을 털어 넣고 상대의 마음을 움직일 수 있는 문장을 쥐어짜 왜 당신이어야만 하는지, 도서관에서 맞춰줄 수 있는 조건은 무엇인지에 대해 나열하기 시작한다. 상대가 다른 기관에서 강의한 경력이 있는 경우엔 일면식도 없는 담당자에게 연락하여 은밀하게 집행 예산을 물어보기도 한다. 적은 예산으로 유명 작가를 섭외하기 위한 노력은 결코 적지 않다. 매끄럽지 못한 문장을 고쳐가며 '감사합니다.'로 마무리하고 보내기 버튼까지 누른 후에는 재빨리 메일함을 닫아버린다. 메일도 글인지라 부족한 문장력을 작가에게 평가받을까 부끄러운 마음에 이미 발송한 메일은 웬만해서는 다시 열어보지 않는다. 이제 남은 일은 기한 안에 최대한 빨리 '하겠노라.' 하는 답이 오기를 기도하는 것뿐이다.

열에 아홉은 기대한 날짜에 회신을 주지만, 간혹 기한까지 메일을 받지 못하는 경우가 있다. 경우가 있다. 상당히 불길한 징조다. 이럴 땐 손톱을 물어뜯으며 다시 메일을 보내거나 출판사에 연락해 완곡하게 재촉하곤 하는데, 50퍼센트의 확률로 거절의 답을 회신받고는 한다. 그럴 때는 잠시 좌절했다가 대상을 선정하는 것부터 다시 시작하면 된다. 좌절은 짧을수록 좋다. 좌절이 길어지면 다른 후보 작가를 섭외할 기회를 놓칠 확률만 높일 뿐이니.

물론 대행사에 섭외를 맡긴다는 치트키가 존재하긴 한다. 하지만 업체를 거치는 순간 도서관이 가진 예산은 정말이지 코 묻은 애 돈이나 마찬가지다. 많게는 10배 이상 비용이 커진다. 작지만 소중한 예산으로 섭외를 완수하기 위해서는 사서가 직접 섭외에 뛰어들어, 도서관을 사랑하는 작가의 마음에 기대는 수밖에 없다. 고맙게도 많은 작가가 도서관의 어려운 사정을 알고 있다며 흔쾌히 수락 의사를 밝히곤 한다.

하지만 한 번에 강연 수락을 받았다 해도 마음을 완전히 놓아서는 안 된다. 강연 시작 전까지 몇 번이고 일정을 확인해야 한다. 우리가 살아가는 이 세상은 너무나 바삐 돌아가, 상대나 내가 실수할 여지가 늘 존재하기 때문에.

끝날 때까지 끝난 게 아니다.

시보가 해제된 지 얼마 안 됐을 때다. 며칠 후 시작될 강의 안내 문자를 작가에게 발송하고, 지하 강의실을 정비 차 둘러보는데 작가에게 전화가 걸려왔다. 이 글을 읽는 당신이라면 이게 그다지 좋은 징조가 아님을 알 것이다.

"주무관님, 일정이 잘못된 것 같습니다. 저는 그날 다른 일정이 있어요. 다시 확인 해주세요."
"네?"

그럴 리가 없다고 생각하면서도, 그럴 리가 있을 수도 있으니 입 밖으로 진심은 내뱉지 않은 채 메일을 다시 확인해 보겠다고 말한다. 지하 특유의 서늘함과 축축함이 목덜미를 핥고 지나가며, 코앞까지 왔던 여름 더위가 삽시간에 물러났다. 사무실이 있는 3층까지 계단으로 뛰듯 올라가며 무슨 생각을 했는지 자세히 떠오르지 않지만, 욕에 가까운 무언가였을 테다. 이미 홍보도 다 나가고 참여자 모집도 끝났는데. 짧은 시간 안에 과장님의 얼굴과 얼굴 없는 민원인이 동시에 떠올랐다.

사무실 안 누구에게도 알리지 않은 채 서둘러 메일함을 열었다. 발신함을 확인하는 순간까지도 마음이 어지럽지만 다음 순간, 마침내 안도했다. 메일에는 내가 알고 있던 일정이 정확히 적혀있었다. 하지만 그저 내 잘못에서 기인한 문제가 아니라는 야비함이 섞인 최소한의 안도일 뿐 작가의 사정을 다시 살펴야 한다. 작가에게 전화를 걸어 안내하자 난감한 목소리가 돌아왔다.

"아, 어쩌죠, 다시 확인해 보니 주무관님 말씀이 맞네요. 제 실수이니 일정 조율 후 다시 연락드릴게요."

행간에서 상대의 곤란함을 읽지만 이미 확정된 일정을 조정하기란 여간 쉬운 일이 아니다. 행정 절차야 조금 귀찮긴 해도 다시 하면 그만이지만, 모집까지 끝난 마당에 이용자와 한 약속을 어길 수는 없으니.

마찬가지로 9급 시절이다. 섭외가 완료되고 홍보와 모집이 끝나 강연을 운영할 일만 남았는데, 작가의 소속사에서 사전에 협의한 금액으로는 진행이 어렵다는 전화를 받았다. 당시 여수에서 출장 중이던 나는 시원한 바닷바람에 몸을 싣고 사라지고 싶었다. 혼은 이미 날아갔는데, 다리만 겨우 땅에 붙이고 서 있는 것 같기도 했다. 귀책 사유가 내 쪽에 있지도 않은 문제로 한참 동안 실랑이하다 출장 후에 다시 이야기하자며 전화를 마무리했다. 회의장으로 돌아가니 선배들이 오랜 시간 동안 자리를 비운 나를 걱정했는지 무슨 일이냐 물었다. 최대한 감정을 배제하려 노력하며 상황을 설명하니, 말도 안 된다며 어차피 지금 당장 해결할 수 없는 일이니 너무 걱정하지 말고 돌아가서 다시 논의하자고 했다. 지금이라면 좀 더 의연하게 대처했을 텐데 당시엔 입맛이 뚝 떨어지고, 내가 씹는 게 고무인지 고기인지 분간이 안 갔다. 세찬 바닷바람에 내 안의 무언가가 떠밀려 날아간 게 분명했다.

나중에 알고 보니 일전의 통화 내용은 작가와 협의가 이뤄지지 않은 것이었고, 다행히 작가의 중재로 강연을 무사 진행할 수 있었다. 당시 같이 근무했던 과장님께서는 출장지에서 마음고생한 막내에게 마음이 쓰였는지, 작가가 출강했을 때 에둘러 불편한 마음을 드러내셨다. 사실 작가 본인이 의도하지 않은 불편한 상황이었기에 억울한 마음이 들 수도 있었을 텐데, 그는 프로답게 바로 사과하고 열정적인 강의를 펼쳤다. 마음고생과 성과가 비례하기라도 하는 건지 강연은 대박이 났다(강의실 자리가 부족할 정도로 수강생이 몰렸으니, 대박이라고 표현해도 되지 않을까?). 이 일화 속 작가는 현재 공중파, 케이블, 유튜브를 가리지 않고 여러 프로그램에 출연할 만큼 유명해졌는데, 나는 그를 볼 때마다 어쩐지 해질녘의 여수를 떠올리게 된다.

앞선 에피소드를 제외하고도 식은땀이 주룩 흐르는 경우가 1년에 한두 번은 생긴다. 큰 행사를 앞두고 섭외한 베스트셀러 작가의 대리인이 일정을 착각해 난감한 적도 있었고, 강의 한 달 전에 강의 포기 연락을 받은 적도 있었다. 일정을 조율한 후 강의에 필요한 서류를 요청했는데 고작 그 돈을 받으며 5장씩이나 되는 서류를 제출하지 못하겠단 이유였다. 참으로 괴로운 것은 이처럼 지난한 과정을 걸쳐 섭외한 사람이 어떤 퀄리티의 강의를 할지는 강단에 서기 전까지 확신할 수 없다는 점이다. 나로선 대단한 강연료를 받고 온 유명인이 기대에 못 미칠 때도 있고, 큰 기대 없이 섭외한 사람의 강연이 훌륭하여 '아 이런 강의는 더 많은 사람이 들어야 하는데.' 하며 미흡한 홍보 실력에 대한 때 늦은 자기 성찰을 하기도 한다. 작가에게 한정하여 적긴 했지만, 도서관에서 이루어지는 모든 강사를 섭외하는 일이 이와

비슷하거나 혹은 더 복잡한 형태로 힘이 쓰인다. 이
글을 읽는 이 중에 혹시 도서관 이용자가 있다면 꼭
전하고 싶은 말이 있다.

"이렇게 힘들여 섭외했는데, 전 회차 출석해 주시
면 안 될까요? 제발요!"

2장

이용자와 믿고 맡겨요

나 홀로 도서관에

도서관에서는 이용자들을 위해 책 말고도 다양한 정보자원들을 제공한다. DVD부터 전자책 등 아날로그부터 최신 전자자료까지 다양한 자료가 있지만 그중 책 다음으로 가장 많이 이용되는 자료는 아마도 신문일 것이다. 그렇기에 출근 후, 내가 가장 처음 하는 일은 어제 신문을 오늘 신문으로 바꿔놓는 것이다.

삼한사온 중 기온이 살짝 올라갔던 사온의 어느 겨울날, 다 깨지 않아 비몽사몽인 정신을 이끌고 출근해서 여느 때와 같이 신문을 바꾸려 보니 어제 자기호일보가 사라지고 농민신문으로 바뀌어있었다.

처음엔 별일이 아니라고 생각했었다. 업무의 전임자도 인수인계 때 가끔 신문을 가져가시는 분이 있다고 말하셨고, 신문열람대에서 읽는 것이 원칙이지만 열람대가 직원이 상주하지 않는 복도에 있기에 종종 어르신들이 다리가 아프시다고 열람실 자리로 가져가셔서 읽으시고 안 가져다 놓으시기도 하기 때문이다. 또 다음날에는 모든 신문이 원래대로 있었기에 가끔 같은 일이 있었지만 기우라 생각하고 잊었다. 과장님께 보고드리니 열람대에서만 이용해달라는 안내문을 붙이는 정도로 처리하자고 하셔서 안내문을 만든 뒤 열람대에 부착했다. 그러나 본격적인 도둑질은 첫날로부터 이 주 정도가 지난 뒤부터 일어났다.

여느 날과 다름없이 출근 후 신문을 가지고 열람대로 간 나는 열 종의 신문이 하나도 빠짐없이 바뀐 것을 발견했다. 그제야 나는 지금까지 있던 신문교체

사건이 한 사람의 소행임을 알아차렸다. 다급한 마음에 새 신문으로 교체하자마자 사무실로 달려갔다.

과장님께 보고드리니 과장님도 고민에 빠지셨다. 물론 CCTV를 확인하고 범인을 찾아 경찰에 넘길 수 있을 것이다. 그러나 '책 도둑은 도둑이 아니다.'라는 옛 속담도 있는데 일간지 정도에 경찰을 불러서 범인을 잡아야 할까? 라는 말씀과 그래도 본격적으로 전부 사라진 것은 처음이니 조금 더 두고 보자는 말씀을 하시며 안내문을 크게 붙여 범인이 보게 하자고 하셨다.

나 또한 범인이 신문을 본격적으로 가져가자마자 안내문이 붙었다는 것을 본다면 '본인이 훔쳐 가는 것을 직원들이 알고 있다고 생각하여 그만 훔쳐 가지 않을까?'라고 생각하여 안내문을 뽑아 열람대 옆에 게시하였다. 그리고 나와 과장님은 안내문을 보고 가져가지 않을 것이라는 약간의 기대감과 '혹시 안내문을 못 보고 계속 가져가지 않을까?'라는 불안감을 동시에 가지며 다음날을 맞이했다.

　다음날 기대와 불안의 공존 속 열람대에 도착한 나는 또다시 색다른 광경을 보았다. 이번에는 10종의 신문들이 모두 꽂혀있긴 했지만, 어제 사라진 2일 전 신문들이 꽂혀있는 것이었다. 또한 신문들의 상태가 모두 수십번은 읽은 것처럼 꾀죄죄하게 변해 있었다. 또 다른 상황에 당황하며 나는 다시 과장님께 보고했고 과장님 또한 놀라시며 그분을 만나서 얘기해야 할 것 같다고 말씀하셨다. 범인은 그 후로도 매일 새 신문을 가져가고 전날 가져간 신문을 제자리에 가져다 놓는 행동을 반복했다.

　우리는 일단 CCTV 촬영 중이라는 문구를 안내문에 새로 추가해서 게시하였고 며칠간 범인의 도서관 출입 시간을 찾으려 했다. 다행히 범인이 교체한 지난 신문들이 모두 낡은 상태로 있었기에 상태가 변하는 시간으로 미루어보아 8시에서 9시에 와서 신문을 바꿔 가는 것을 확인했다. 그 후 나는 범인을 만나기 위해 잠복근무를 하게 되었다.

　대망의 잠복근무 날, 나는 열람대 근처 의자에 앉아 범인을 기다렸다. 과장님이 혹시 모를 상황을 대비해 경비 선생님께 말씀드려 나와 같이 있어 달라고 말씀드려 경비 선생님과 같이 있었다. 앉아 있는 동안 범인에게 어떻게 말해야 할지, 혹시나 뉴스에 나오는 일들처럼 범인에게 맞지는 않을지 걱정이 되었다. 머릿속으로 시뮬레이션을 돌리며 오만가지 생각을 하던 중 밤 8시 50분이 되었고 어떤 중년의 남성분이 열람대 앞에서 가방을 내려놓고 꾀죄죄한 지난 신문들을 꺼내기 시작했다. 나는 속으로 "저분이다!"라는 생각이 들었지만, 오늘자 신문을 가져가는 확실한 타이밍까지 참았다. 마침내 그분이 지난 신문을 다 꺼내놓고 새 신문들을 가져가는 순간 의자에서 일어나 그분께 말을 걸었다.

"선생님 안녕하세요. 중앙도서관 직원입니다. 그 신문들 가져가시면 안 됩니다. 이곳에서만 열람해 주세요."

나는 정중하지만 단호하게 말을 걸었고 범인은 갑자기 등장한 나를 보며 놀란 듯한 얼굴을 하였다. 나는 다시 말을 이어 나갔다.

"선생님 여기 안내문 보셨겠지만 저희가 신문은 1부씩만 구독하기 때문에 여러 사람이 볼 수 있도록 관외 대출해 드리지 않고 관내에서만 열람 가능합니다. 양해 부탁드립니다."

그제야 상황을 파악한 듯한 범인은 애써 당황한 기색을 감추며 오히려 당당한 얼굴로 나에게 말했다.

"아니 젊은이! 나는 가져가는 게 아니라 다음날 되면 다시 다 가져다 놔요! 그냥 하루 보고 줄게! 내가 이 신문들 좋아하고 보는 게 낙이라 그래요! 내가 주민등록번호도 불러줄게! 그리고 여기 어차피 9시에 닫잖아, 그러면 어차피 안 보는 건데 지금 가져다 보고 내일 가져다 놓으면 문제없는 거 아니야?"

나는 오히려 당당하게 주민등록번호를 알려주겠다는 범인에게 당황했지만 질세라 말을 이었다.

"선생님 저희가 지난 신문들을 한 달씩 모아놓거든요. 지난 신문 찾으시는 분들도 있으셔서요. 그런데 선생님이 매일 이렇게 가져가시면 전날 신문 찾으시는 분들이 볼 수가 없어요."

나는 계속 말을 이어가려 했지만, 범인은 말을 끊고 언성을 높이며 말했다.

"아니 지난 신문 모아놓는 건 모르겠고 나도 봐야할 거 아니야? 내가 8시에 퇴근하는데 여기 오면 8시 30분이 넘어요. 그러면 신문들이 몇 개인데 끝나는 시간 9시까지 다 못 본다니까? 그래서 하루 보고 다시 돌려준다는데 여긴 왜 이렇게 융통성이 없어?"

범인의 말을 들은 나는 내가 혹시 잘못 들은 건지 의심했다. 그때 옆에서 우리의 대화를 듣고 계시던 경비 선생님이 참다못해 언성을 높이며 말을 꺼내셨다.

"아니 선생님, 융통성이라는 건 규칙안에서 생기는 거지 규칙을 어기면서까지 선생님 퇴근 사정 따라 융통성 봐줘야 할 거면 규칙이 왜 있습니까? 그리고 융통성은 도서관이 정하는 거지 선생님이 먼저 가져가 놓으시고 가져가지 말라고 하니 융통성 없다고 하시면 어떻게 합니까."

경비 선생님의 말씀을 듣고도 범인은 굽히지 않고 그러면 본인은 일을 하는데 언제 신문을 보냐는 말을 반복했고 나와 경비 선생님은 규정상 외부로 가지고 나갈 수 없다는 말을 반복하며 우리의 대화는 평행선을 그러나갔다. 그러고 같은 말을 반복하기 5분이 더 됐을까? 범인은 아주 쩨쩨하다는 말과 함께 그럼 도서관 운영시간이 한 시간 남았으니 그동안 보고 가겠다고 말하며 대화를 끊었다. 그러고는 열람대의 신문을 뽑아 들고 1층 로비로 가 앉아 신문을 보기 시작했다. 나와 경비 선생님은 한숨을 내쉬며 혹시 가방에 몰래 챙겨 그냥 나가버리진 않을까 노심초사하며 1층 게이트 앞에 앉아 그분을 멀리서 지켜봤다. 도서관 운영시간이 얼마 남지 않아 사람들이 도서관을 거의 다 떠날 때까지 범인은 그 자리에 앉아 신문을 보고 또 보고 하였다.

운영시간이 1분 남았을 때 범인은 신문을 3층 열람대에 다시 꽂은 뒤 내려와 게이트에서 기다리고 있는 나와 경비 선생님에게 말을 걸었다.

"내가 관장님한테 건의해 봐야겠는데 관장님 번호 좀 불러봐봐. 내일 전화하게"

"또 내가 신문들을 보다가 또 보고 싶은 부분 스크랩해야 하는데 여기서만 보면 스크랩할 수가 없잖아~ 그래서 그래요~"

"내가 우리 회원들이랑 있는 방에 건강 정보를 올리는데....."

한참 사적인 이야기를 하시고는 불러드린 도서관 번호를 저장하시고 도서관 밖으로 나가셨다. 나는 범인이 도서관 밖을 나가는 모습을 보고 안도의 숨을 쉰 뒤 신문열람대로 가 신문들을 가져가지 않은 것을 확인하고 퇴근했다.

다음날, 범인이 관장님께 전화하겠다는 말을 남기고 갔기에 범인에게 전화가 왔는지 과장님께 여러 번 여쭤봤다. 그리고 관장님이 오후에 출장을 가실 예정이었기 때문에 관장님이 안 계시는 동안 범인이 전화를 걸어 관장님을 찾을지도 걱정됐다. 다행히 그날이 끝날 때까지 전화는 오지 않았고 그 이후로도 마찬가지였다.

나는 그 후로도 며칠 동안 매일 출근하면 신문이
사라지지 않는지부터 확인했지만, 다행히 잠복근무
이후로 신문은 사라지지 않았다.

사라진 베스트셀러를 찾아서

책을 빌리기 위해 도서관을 찾았다가 찾는 책이 없어서 빈손으로 돌아갔던 경험을 해 본 적이 있는 가? 분명 모니터 화면에는 대출 가능이라는 문구가 떠 있는데 아무리 찾아도 책은 보이지 않고, 아쉬운 마음에 서가 앞에서 서성거렸던 경험. 도서관을 자주 찾는 사람이라면 아마 한 번씩은 해 보았을 것이다.

이렇게 찾는 책이 자리에 없는 경우에 이용자는 청구기호가 출력된 용지를 들고 사서를 찾아간다. 그 러고는 자신이 찾지 못했던 책을 어디선가 찾아내서 눈앞에 짠하고 내밀어 주기를 바라며 기대에 찬 눈빛으로 사서를 바라본다. 하지만 사서라고 해서 모든 책을 척척 찾아내는 것은 아니다. 운이 좋아서 한 번에 책을 찾아내는 경우도 있지만, 아무리 서가를 눈이 빠지도록 들여다보아도 도무지 찾을 수 없는 책들이 있다. 이런 경우 사서는 굉장히 곤란한 상황에 빠진다. 초롱초롱한 눈으로 나를 바라보고 있는 시선이 뒤통수에서 느껴지기라도 한다면 더욱 난감할 수밖에 없다. 분명히 전산상으로 '대출 가능'이라고 명시된 도서를 대출할 수 없는 이유에 대해 충분히 설명하고 양해를 구한 다음, 이 상황에 대해 민원을 제기하지 않기를 마음속으로 간절히 바라야 하기 때문이다.

하지만 이용자가 별다른 말 없이 다른 책을 찾아 발길을 돌리더라도 상황이 끝난 것은 아니다. 어떻게든 책을 찾아서 제자리에 돌려놓아야 하기 때문이다. 게다가 원하는 서비스를 제공하지 못했으니 사서라고 마음이 편할 리 없다. 이용자가 우연히 본 소설 줄거리를 보고 결말이 궁금해 무려 몇 년 만에 도서관에 방문한 것일 수도 있고, 독서를 하겠다는 새해 다짐을 실현하기 위해서 추천도서 목록을 들고 도서관에 방문했을 수도 있기 때문이다. 없는 시간을 쪼개서 큰맘 먹고 도서관에 들렀는데 하필이면 오늘 내가 찾는 책이 자리에 없어서 신성한 나의 새해 다짐을 망가뜨릴 수는 없는 일 아닌가.

여기서는 그런 안타까운 일이 발생하는 것을 미연에 방지하기 위해서 자료실에서 다년간 근무하면서 터득한, 이른바 '사라진 책을 찾을 수 있는 방법' 몇 가지를 소개해 보고자 한다. 경험상 80% 이상의 성공률을 자랑하지만 그렇다고 모든 책을 찾을 수 있는 것은 아니니, 직원들도 책을 찾아주기 위해 많은 노력을 기울이고 있다는 것 정도만 알아주셨으면 한다.

먼저, 책을 찾는 방법을 소개하기 전에 '왜 책이 자리에 없는가?'에 대한 이유를 잠시 설명해 보고자 한다. 어쩌면 책을 관리하지 못한 책임을 회피하고자 변명하는 것처럼 들릴 수도 있지만(사실 어느 정도는 사실이지만) 책이 자리에 없는 이유가 오로지 '직원의 관리 소홀'에서만 기인하지 않는다는 점은 꼭 이야기하고 싶다. 내가 찾는 책을 다른 이용자가 관내에서 열람 중인 경우도 있고, 보안 경보음이 울리지 않아 대출 처리가 되지 않은 도서가 외부로 반출되는 일도 꽤 자주 일어나고 있으며, 서가 밑이나 틈새에 책을 숨겨 두는 이용자도 종종 있으니 말이다. 그런 일들이 빈번하게 일어나고 있음에도 사서는 어떻게든 '그 책'을 찾아내야 하기 때문에 사라진 책이 어딘가에 잘못 꽂혀 있을 것이라는 희망으로 서가 사이를 헤집고 다닌다.

그러나 책이 없다고 해서 그 책을 찾기 위해 온 서가를 전부 다 뒤져야 하는 것은 아니다. 물론 정말 엉뚱한 곳에 꽂혀 있어 우연히 발견되기를 바라야 하는 책들도 있지만, 대개의 경우 책이 잘못 꽂히는 데에도 보이지 않는 법칙이 존재한다. 그 이유는 책을 꽂는 주체가 기계가 아니라 '사람'이기 때문이다. 자료실에서 근무하다 보면 사서 한 명당 하루에 적게는 몇십 권, 많게는 몇백 권의 책을 정리하게 되는데, 이용자가 몰리는 주말 같은 경우에는 하루 종일 쉬지 않고 책을 꽂아야 하기도 한다. 그렇게 10포인트밖에 되지 않는 숫자와 문자의 조합을 들여다보며 하루 종일 책을 정리하다 보면 무언가에 홀린 듯 숫자를 잘못 보는 경우가 생기곤 한다.

그중에서도 사서를 가장 헷갈리게 만드는 주범은 3과 8, 0과 9처럼 곡선으로 이루어진 숫자들이다. 언뜻 보면 비슷하게 보이기 때문이다. 특히 388.3이나 338.8처럼 헷갈리는 숫자가 연속적으로 나열된 경우에는 더욱 사서의 눈을 혼란스럽게 만들곤 한다. 인쇄가 흐릿하거나 책이 오래돼 청구기호 라벨까지 낡아 버렸다면 더더욱 구분이 잘 되지 않는다.

그래서 이런 숫자가 많이 들어가는 분류번호의 책이 없다면 헷갈릴 만한 숫자의 조합을 만들어 경우의 수를 따라 차근차근 그 자리들을 따라가다 보면 책을 찾는 경우가 대부분이다.

문제는 그렇게 해도 발견되지 않는 책들이다. 그런 경우에는 데스크로 돌아가 반납 이력을 확인한다. 최근 반납일이 언제인지, 어떤 기계에서 반납되었는지를 파악하면 위치를 추정해 보기가 훨씬 수월하기 때문이다. 다른 자료실에서 반납이 된 것을 확인하여 책을 찾아오기도 하고, 최근 반납 이력이 불과 삼십 분 전인 것을 확인하고는 반납대에서 책을 찾아내는 경우도 있었다.

그렇게 해도 찾지 못했다면 그다음으로는 인터넷 창을 켜 책의 표지를 검색해 본다. 그리고는 책등의 색깔이나 제목의 위치, 글씨체 등을 확인한 후 도장을 찍듯이 머릿속에 저장하고는 다시 서가로 향한다. 정말 엉뚱한 곳에 꽂혀 있을 책을 우연히라도 눈에 띄게 하려는 최대한의 노력인 셈이다. 그렇게 책에 대한 정보를 최대한 머릿속에 밀어 넣은 뒤 이제부터는 서가를 샅샅이 뒤지기 시작한다. 책을 꽂다가 다른 책이 밀려들어 가는 경우도 있기 때문에 서가 뒤, 아래, 책 틈 사이사이까지 확인한다.

그렇게까지 했음에도 찾지 못하는 책은 '일단 보류'로 넘어간다. 이용자가 많이 찾는 책이라면 '대출 가능' 상태로 보이지 않도록 검색 제한을 걸어둔 뒤 재빨리 추가 구입을 진행해야 하고 그렇지 않더라도 시간을 두고 더 찾아볼 것이냐, 분실 도서로 판단하고 대체도서를 구입할 것이냐를 판단해야 하기 때문이다. 그렇게 '일단 보류'된 책들은 분실 도서 대장에 적힌 채로 차곡차곡 쌓여 간다. 그렇게 분실 도서 대장에 적힌 책들을 주기적으로 찾아보는 것도 사서의 업무 중 하나다. 휴관일이나 상대적으로 이용자가 붐비지 않는 시간대를 틈타 수시로 서가 정리를 하는데, 이때 잘못 꽂힌 도서나 대출되지 않은 채로 반출되었다가 운 좋게 다시 돌아오는 도서들을 찾을 수 있기 때문이다. 만약 이용자가 애타게 찾던 책이 발견됐다면 대장에 적힌 연락처를 찾아 기쁜 마음으로 전화를 건다. 매번 기계적으로 돌려야 하는 반납 독촉 전화가 아닌, 좋은 소식을 전할 수 있는 몇 안 되는 기회이다.

일련의 과정을 거쳐 책을 찾아내고, 원하는 책을 이용자에게 안겨 돌려보내는 일은 자료실에서 근무하면서 누릴 수 있는 소소한 즐거움 중 하나다. 책한 권을 찾는 데 며칠이 걸리는 경우도 있지만 대개는 잠시만 기다려 달라는 말과 함께 5~10분 내로 책을 찾아드리곤 하는데, 이때 보이는 반응 또한 가지각색이다. 대개는 수줍게 감사 인사를 표하고 가시지만, 책을 받아 들며 "왜 제 눈에는 안 보였을까요."라며 멋쩍은 웃음을 지으시는 분들도 있고, 대체어떻게 찾은 거냐며 신기해하시는 분들도 많았다. 그중에서 가장 하루를 기분 좋게 만드는 말은 '역시전문가는 다르다.'는 말이었다. 전문가라는 나와는어울리지 않는 것 같은 그 말에 왠지 내가 대단한사람이 된 것 같아 으쓱해지다가도 '그래, 나도 책이라는 분야에 있어서는 전문가가 맞지.'라는 생각을되새기게 되는 마법 같은 말이다.

오늘도 이곳에는 단순히 책을 대출해 주는 일을 넘어 누구나 불편함 없이 도서관을 이용하고, 양질의 서비스를 제공할 수 있도록 보이지 않는 곳에서 애쓰는 직원들이 있다. 그러니 읽고 싶은 책이 자리에 없더라도 조금만 기다려 주시기를 바란다. 오늘도 사라진 책을 찾아 서가 사이를 헤매고 있는 사서들이 있을 테니까.

친절한 사서가 되고 싶은데

내가 처음 접한 사서의 이미지는 학교 도서관 사서 선생님이었다. 학생들은 쉬는 시간이나 점심시간에 도서관을 주로 이용했기에 그때마다 도서관은 붐볐고 쉬는 시간이 끝나는 종이 울리고 나서도 대출 데스크의 줄은 항상 있었다. 그때마다 사서 선생님은 항상 퉁명스러운 표정과 단호한 말투로 학생들을 대했고 밝은 표정은 거의 보기 어려웠다. 오랫동안 도서부를 해왔기에 사서 선생님이 정말 좋은 분이라는 건 알지만 '왜 맨날 오는 학생들에게는 친절하지 않으실까?' 마음속에 궁금증이 항상 있었다. 그리고 내가 만약 사서가 된다면 항상은 어려워도 대체로 친절하고 싶다는 생각을 막연하게 했던 것 같다.

어른보다 무서운 중학생

처음 도서관에서 개관연장 사서로 일을 시작했을 때, 내 자리는 어린이자료실 데스크였다. 평일 어린이자료실은 학생들이 하교하는 시간을 제외하고는 보통 한가했다. 하지만 문제는 야간부터 시작이었다.

학생들의 시험 기간이 되면 저녁부터 어린이자료실로 중학생 무리가 들어오곤 했다. 열람실이 있었지만, 그 중학생 친구들은 공부에 집중하고 싶지 않았나 보다. 열람실은 올라가지도 않았고 어린이자료실의 낮은 의자에 앉아 화장하거나 간식을 먹으며 수다를 떠는 게 보통의 패턴이었다. 이용자분들을 응대하다가도 신경이 쓰여서 나는 바로 중학생 친구들에게 다가가 조용히 하라고 주의를 주고, 간식을 먹으면 안 된다고 제재했다. 학부모 이용자가 화장하는 중학생들에 대해 교육적 측면에서 보기 안 좋다고 얘기하기도 해서 자료실 안에서 화장을 하는 것에 대해서도 자제해 달라고 말했던 것 같다.

중학생 친구들은 처음에는 내 말을 알아듣는 척을 하더니 여러 번 말하니까 내가 하는 얘기를 듣는 둥 마는 둥 하기도 했다. 시간이 지나 웃음기 없이 경고했을 때는 나에게 들리게끔 "뭐래?"라고 말하면서 자기들끼리 나를 비웃으며 자료실을 벗어나곤 했다. 그때 나는 '나이 많은 이용자분들을 대하는 것보다 나이 어린 이용자들을 응대하는 게 어려울 수도 있구나.'라는 생각이 들었다.

도서관은 누구에게나 열려있고, 이용할 수 있는 곳이다. 주변에 있는 카페나 식당은 돈을 내고 이용할 수 있지만 오랜 시간 이용하기에는 눈치가 보이기도 하고 다른 손님들도 있기에 독점할 수는 없다. 하지만 도서관은 열람실 자리를 예약하거나 자료실에 앉아 있다면 딱히 제재를 가하지 않는다. 그리고 도서관에서는 무료로 이용할 수 있는 컴퓨터, 와이파이,

자료 등이 있기에 시간을 보내기에는 최적이다. 그리고 도서관은 교육적이고 건전한 이미지니까 부모님이 보기에는 학생들이 도서관에서 무엇을 하든지 괜찮다고 생각했을 것이다. 도서관에서 학생들이 수다를 떨면서 간식을 먹고 화장을 한다? 완전 맞다고 할 수 없지만 틀렸다고도 할 수 없을 것 같다.

지금으로부터 오래된 이야기이기도 하고, 그때는 도서관 분위기가 더 보수적이었으며, 나도 어린 꼰대가 아니었을까 싶다. 지금 내가 있는 도서관에 똑같은 중학생 친구들이 온다고 해도 나는 아마 가만히 두고 보지는 못할 것 같다. 하지만 단순히 하지 말라고 얘기하기보다는 중학생 친구들이 도서관 자료실에서 왜 그러면 안 되는지 대화해보려고 할 것이다. 도서관에 대해 알려주고 이야기하고 간식을 나눠 먹기 편한 쉼터에 데려다주거나 도서관에서 친구들과 유익한 시간을 보낼 수 있는 프로그램이 있는지를 찾아봐 줄 것이다.

멀리서도 알 수 있는 휴관일

어느 화창한 날, 당시 내가 다니던 도서관은 장서 점검과 도서관 내부 공사가 겹쳐서 일주일 정도 휴관을 했었다. 휴관일이지만 여느 때와 똑같이 출근하여 장서 점검도 하고 서가 재구성을 해야 해서 모든 직원이 바빴다. 오히려 휴관일이 아닐 때 더 여유가 있는 것 같다는 생각이 들 정도로 다 같이 열심히 일했었다. 그러던 중에 도서관에 자주 오는 분이라 얼굴이 익숙했던 이용자 A님이 이용자는 없지만 북적북적한 도서관에 들어오셔서 나에게 말씀하셨다.

"휴관일이면 휴관일이라고 좀 표시해야 하지 않아요?"

그 말을 들은 나는 당황했다. 휴관일임을 알리는 스탠딩 현수막이 도서관 출입문 앞에 있었고, 당연히 휴관일 이전부터 미리 장서 점검 및 내부공사 등을 이유로 휴관한다고 한 달 전부터 도서관 곳곳에 안내했으며 홈페이지에도 게시했었다. 생각해 보니 매일 이용하시는 이용자 A님의 눈에는 '도서관이 익숙해서 안 띄었을 수도 있지.'라는 생각이 들었다. 나는 A님께 다가가 곳곳에 붙은 안내문이나 도서관 문 앞에 있는 스탠딩 현수막을 보여드리며 말씀드렸다.

"여기 휴관일 안내가 되어있고, 저희 도서관은 O일까지 휴관이라서 O일 이후부터 오시면 될 것 같습니다."

"아니요. 멀리서 휴관일 안내가 안 보인다고요! 멀리서도 볼 수 있게 뭐라도 띄워야 할 것 아니에요!"

"네?"

멀리서도 볼 수 있는 휴관일 안내가 무엇일까. 휴관일이 무슨 큰 행사도 아니고 그렇게까지? 점점 더 황당해졌다.

"멀리서도 볼 수 있게 풍선 같은 걸로 좀 띄워주세요."

이용자 A님이 말하시는 건 애드벌룬처럼 광고용으로 건물 위에 띄우는 큰 풍선을 얘기하는 듯했다.

그 순간 애드벌룬과 도서관을 연결 지어 생각해 본 적도 없었고 들었어도 솔직하게 '굳이?'라는 생각을 했던 것 같다. 도서관에서 행사 홍보나 전시용으로는 그런 풍선을 띄울 수는 있을지도 모른다. 하지만 휴관일을 굳이 거대한 풍선을 띄우면서까지 홍보할 필요성이 있다고 느낀 적은 없었다.

이용자 A님 입장에서 보면 맨날 오는 도서관이기에 굳이 홈페이지나 안내문을 자세히 볼 필요가 없다고 생각할 수도 있다. 습관처럼 도서관을 들렀는데 휴관일이라서 이용하지 못한다면 얼마나 짜증이 났을까. 입장을 바꿔서 생각해 보면 멀리서도 볼 수 있게 휴관일을 알려달라는 것이 왜 필요한지 이해가 되었다.

그 이후로 휴관일이 되면 '이용자 A님이 말했던 것처럼 풍선을 띄우면 어떨까?' 하는 생각을 종종 한다. 우리 도서관을 모르는 사람들도 도서관이 쉰다는 것을 알겠지? 하지만 풍선 위 글자를 읽는다기보다는 풍선이 띄워진 건물이 어디인지를 궁금해할 것 같다. 그래서 한편으로는 고도의 도서관 홍보가 될지도 모를 텐데.

도서관 휴관일에는 평소 못했던 공사나 점검을 하느라 운영을 못 하기에 이용 실적이 없다. 가뜩이나 미뤄왔던 일을 하느라 바쁜데 휴관한다고 홍보비용을 들이면서 수고로운 일을 할 리가 없을 것이다.

그래도 이용자 A님이 말했던 것처럼 휴관일을 애드벌룬 같은 걸 띄워서 크게 홍보하는 도서관이 있다면 꼭 가보고 싶다. '그 도서관의 이용자들은 멀리서도 그 도서관이 어떤 상태인지 알 수 있으니까 편하려나?', '휴관일이 아닐 때는 그 풍선을 어떻게 하려나?' 등 궁금증이 잔뜩 생겨서 그 도서관을 당장 가보고 싶을 것 같다.

그때는 멋쩍게 웃으며 이용자분을 돌려보냈다. 지금도 전과 크게 다를 것 같지는 않지만, 그래도 조심스럽게 질문 하나쯤은 드리고 싶다.

"도서관에서 풍선을 띄우기는 어려울 것 같은데, 기존에 안내해 드리던 방법 외에도 더 보기 쉬운 다른 방법이 있을까요?"

다른 방법이 있다면 저희도 최대한 해보고 싶다는 말을 건네며 도서관의 노력을 보여드리고 싶다. 누군가에게는 몰라도 상관없을지라도 누군가에게는 중요한 우리 도서관 소식을 잘 알려드리는 방법을 아직도 찾아가는 중인 것 같다.

어쩌면 우리는 모두 친절하고 싶은 사람들

도서관에서 사서로 일해보니 '친절'은 참으로 어려웠다. 업무 매뉴얼을 지켜서 이용자분을 돌려보냈으나 언제 누군가는 해주셨다는 이름 모를 어떤 직원분과 비교당하기도 했다. 이용자분도 나도 모르는 어떤 책을 찾아달라고 오셨을 때 열심히 유사한 책을 찾아드려도 이 책도 저 책도 아니라며 짜증을 내시기도 했다. 친절에 객관적인 지표도 없기에 언제나 이용자분들에게 만족을 드리기는 어려웠다.

그래도 내가 만났던 도서관 이용자분들은 대부분 친절하고 싶은 나만큼 친절해지려고 노력하셨다. 책을 빌려주는 나에게 감사하다고 추가로 인사해 주시기도 했고, 오늘 입은 옷이 이쁘다고 칭찬해 주시기도 했으며, 마감 시간에 오늘 하루도 수고하셨다면서 남은 하루도 좋은 하루 잘 보내시라고 따뜻한 말을 들려주시기도 하셨다.

내가 이용자분들에게 받은 따뜻한 친절을 기억하는 것처럼 이용자분들도 내가 응대하는 서비스 중 어느 것이든 친절하다고 느꼈다면 나는 이미 친절한 사서가 되었을지도 모른다.

모두 친절한 사람만 있는 도서관이라면 누구든 가고 싶지 않을까? 매일 모두가 그렇게 상냥하기는 어려울 것이다. 그래도 오늘은 친절해지기 위해서 조금씩 미소도 지어 보고 기분 좋은 생각도 해볼 것이다. 나의 친절이 작은 민들레 홀씨처럼 바람에 날려서 누군가에게 닿았다면 우리 도서관은 이용자 분의 기억 속에 또 오고 싶은 도서관으로 남아 있을 테니까.

도서관 속 로맨스

Episode 1. *

금요일 오후 5시 59분쯤?

퇴근 시간을 앞에 두고 책상 위 전화벨이 울린다
(휴대폰이 없던 시절이다.).

"왼쪽으로 고개 돌려 보세요."

과 사무실 출입문(아마도 사무실의 공기를 순환시
키기 위해서였던지 근무 중에도 복도로 난 출입문을
종종 열어놓았었다.) 밖 10미터쯤의 로비 저쪽 공중

전화 부스에서 약속 없던 그 남자가 손을 흔든다.

[초기] 서울에서 나의 퇴근 시간에 맞추어 내려와 깜짝 방문!

Episode 2. **

퇴근 후 ○○場(스포츠 시설의 한 종류로, 홀로 지낸 시절에 수년 동안 열심이었던 ○○를 배우고 익히던 곳)에서 운동을 마치고 집에 오는 길, 늦은 밤 동네 버스정류장에 약속 없던 그 남자가 환하게 서 있다.

[진전] 내 일상을 스토킹? 무작정 기다림?

*, **: 나름 꽤 경이롭고 낭만적인 에피소드였다. 그런 느낌이 들지 않는다면, 그 까닭은 순전히 내 쓰기 능력의 모자람에 있다.

Episode 3.

"당신을 만난 것은 내 일생일대의 실수……."

"대학생 때 용돈 없어 얻어먹었던, 그때 그 공짜 빙수만 아니었어도……."

(내가 사주었다는, 나의 기억 속에는 없는데 저의 기억 속에만 남은, 그 빙수가 잊지 못할 맛이었을까?)

[결말] 잊을 만하면 툭툭 던지는 그 남자의 언어 유희.

평소와 같은 주말 근무 당번이었다. 공공도서관에서는 주말 운영을 위해 따로 직원 근무 조를 짜서 아침 일찍부터 저녁 늦게까지 근무하였는데, 자료실과 열람실, 출입자 관리하는 업무를 담당했다.

도서관의 자료실은 대개 조용한 분위기이지만 그날은 예외였다. 종합자료실과 정기간행물실을 서가 몇 줄로 벽을 삼아 구분해 놓은 구조였는데, 옆 간행물실에서 들려오는 (선배)직원의 시끄럽고 지루한 전화 통화 소리가 이편 자료실의 독서와 학습에 방해가 될 정도여서 나는 안절부절 예민해졌다. 그때 한 남자가 자료실 카운터로 다가왔다.

"저 소리, 정말 거슬리지 않습니까?"

그날 그 대화부터였다. 내 생애 첫 공공도서관을 배경으로 긴 날들 서로의 삶을 교차하며 직조한 나의 연애 이야기이며, 망망대해(한없이 크고 넓은 바다)에 홀로 던져져 관계의 그물망에서 기쓰며 살게 될 '혼인'을 초래한 사건! 사고? 사(史)의 시작은.

공공도서관을 이용하기 위해서는 100원의 입관료(入館料)를 지불하고 열람권을 구입하여 자료실과 열람실을 이용할 수 있던 시절이었다. 도서관에 들어오면 허용된 외출 시간 이외에 출입할 경우에는 열람권을 재구입해야 했다. 야간에는 주말 근무 조 직원들이 모두 출입 현관으로 모여 열람권을 관리하거나 이용 환경을 살피는 일을 했다.

어떤 경우에는 직원 재량으로 도서관 입관료를 면제해 주는 혜택을 베풀 수도 있었는데, 바로 그날 허용된 외출 시간을 넘겨 열람권을 다시 구입하려는 그 사람 얼굴을 알아본 나는, 표를 끊지 않고 도서관에 들어갈 수 있게 눈감아주었다. 다음 날 그는 150원을 주고 뽑은 자판기 커피 한 잔을 들고 나를 찾아왔다.

그는 서울 소재 대학교에 재학 중이면서 방학을 맞아 본가로 내려와 있었다. 그가 도서관을 찾은 것은 집 근처 새로 생긴 쾌적하고 조용한 그곳에서 어떤 자격증 공부를 하기 위해서였다.

나로 말하자면 야트막한 산들로 둘러싸인 심심산골, 문명의 개입이라고는 없이 무지한 컨트리(country) 출신이다. 나를 키운 8할은 중학생이 된 후 문학에 눈을 떠 날밤 밝히며 읽은 한국·세계 문학

전집이 전부였기에 현실감각이 좀 떨어지고 사회적 관계 맺음이 다소 미숙한 축이었던 터라, 시티 걸 (city girl)이 되기까지 많은 변화와 버거운 도전을 겪으며 도서관 사서로 막 자리 잡은 시기였다.

그는 내가 도서관 사서라는 사실, 그리고 책과 사람들과 소통하는 모습에 끌렸었다. 그날 이후 그는 자주 도서관을 찾았고, 지적이고 유머러스한 말솜씨로 즐거움과 감동을 안겨 주었으며, 나의 삶에 새로운 지평을 열어주었을 만큼 남달랐다(고 착각했다.).

우리는 '달, 별, 꽃, 웃음, 농담 그런 (쓸데없는) 것들을 좋아하는' 정서가 상통했으며, 결국 나는 꽃과 시집을 들고 온 '희고 말랑한' 이 남자와 묶였다. 우리는 책과 문학에 대한 공통의 관심사를 통해 자연스럽게 많은 대화를 주고받게 되었다.

나의 인생 드라마 〈미스터 션샤인〉, 주인공 고애신과 정혼자 김희성의 첫 만남 장면을 그 남자와 나의 만남에 빗대어 덧붙인다. '내 원체 무용(無用)한 것들을 좋아하오.'라며 (무용한) 꽃다발을 전해준 정혼자를, 고애신은 '희고 말랑한 약골의 사내'라며 잘라 낸다.

서울의 대학으로 돌아간 그는 종종 학보(대학 신문)에 편지를 써서 보냈고, 도서관이라는 열린 공간을 십분 활용하여 시시로 깜짝 방문 이벤트를 연출하였으며, 짧지 않은 해를 공유하면서 사소하고 중요한 우연과 약속들이 쌓여 단단한 신뢰가 생겼다.

보석이 귀한 것은 만들어지는 과정이 까다로워서이고, 아름다운 것은 그 안의 소량의 불순물 덕분이라는 물리학자의 말이 생각난다. 때로는 부드럽게 때로는 날카롭게 부딪치면서 시소 같은 날들을 살고 있지만, 우리 사이에는 있는 듯 없는 듯 초기 로맨스의 울림이 미세하게 일렁이고 있고, 아름답고 귀한 보석 같은 삶을 위해 여전히 노력하는 중이다.

도서관이라는 유별한 공간에서 일어난 우연한 기회가 단순히 책을 읽는 장소를 넘어 서로를 알아보는 데 중요한 역할을 했다. 고요하지만 숨 막히지 않는 도서관의 편안한 분위기는 서로의 소리를 더 잘 들을 수 있게 해주었고, 더 깊이 이해할 수 있는 기회를 만들어 주었음이 확실하다.

　나는 도서관이 단순한 책의 집합소가 아니라 사람들의 인생을 변화시키는 곳임을 누구보다 잘 알고 있다. 그곳은 지식의 보고일 뿐만 아니라, 사람들이 서로를 만나 깊은 관계를 맺을 수 있는 매력적인 공간이다.

　내가 도서관에서 그를 만난 것은 **우연**이고 **운명**이다. 이것이 도서관 속 로맨스다.

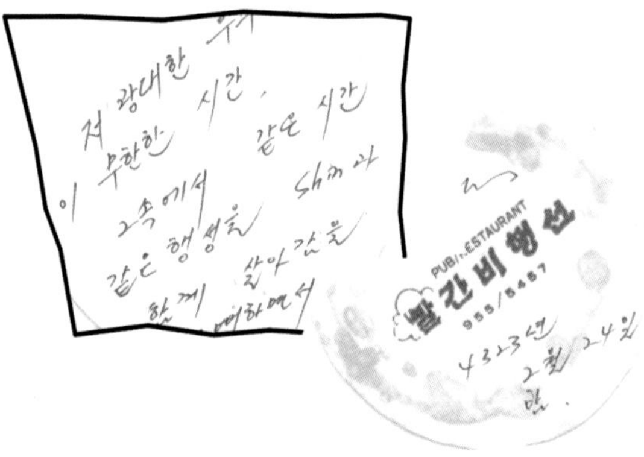
저 광대한
이 무한한 시간,
그 속에서 같은 시간
같은 행성을
함께 살아감을
PUB/RESTAURANT
빨간비행선
955/5457
4323년 2월 24일 밤.

도서관 미스터리

이 글은 내가 사서로서 도서관에서 겪었던 불가사의하고 미스터리한 몇 가지 에피소드이다.

하지만 제목과는 다르게 매우 싱거울 뿐만 아니라 신빙성이라고는 눈을 씻고 찾아볼 수 없는 주관적인 글이니 기대는 금물이다.

Mystery 1. 도서관 금기어

도서관 직원들 사이에서는 금기시하는 말이 있다. 그건 바로

"오늘은 이용자가 없는 편이네요."

아뿔싸! 누군가 그 말을 입 밖으로 내면 미스터리하게도 다음과 같은 상황이 펼쳐진다.

한산했던 자료실이 갑자기 이용자로 만석이 되고, 북트럭에는 책이 산더미처럼 쌓인다. 조용하던 전화기에 불이 나고, 지하 보존서고에 있는 책을 찾는 이용자와 회원증 발급을 원하는 신규 회원이 동시에 찾아온다.

그야말로 혼이 쏙 빠지는 경험을 하게 되는 것이다. 위와 같은 상황을 피하고 싶다면 앞서 말한 금기어를 조심하길 바란다.

Mystery 2. 미대출도서

도서관에는 주기적으로 새 책이 들어온다. 그래서 부족한 서가 공간을 확보하기 위해 오랫동안 이용이 되지 않은 미대출도서는 보존서고로 배가실을 변경하는 작업이 필요하다.

미대출도서는 도서관리프로그램에서 미대출 기간을 조건으로 주어 반출할 수 있다. 이렇게 반출한 목록을 토대로 서가에서 책을 골라온 후 보존도서 스티커를 책마다 붙인다. 그리고 다시 바코드 스캔 작업을 통해 더블 체크를 하고, 도서관리프로그램 상에서 자료실을 보존서고로 변경한 다음 실제로 보존서고에 배가까지 하면 작업이 완료된다.

그런데 미스터리하게도 분명 몇 년 동안 대출이 되지 않은 책임을 확인했는데, 보존서고로 배가 변경을 하고 난 다음이면 그 책들을 찾는 이용자가 속속들이 나타난다. 아마도 원인은 대출 처리를 하지 않고 자료실 안에서 이용이 되는 책은 도서관리프로그램에 반영이 되지 않는데, 그렇게 자료실에서 열람만 하는 이용자가 꽤 있기 때문으로 파악된다.

그런데 문제는 보존서고가 보통 도서관 지하에 위치하고 있다는 점이다. 엘리베이터를 타고 다녀올 수도 있지만 계단을 이용하는 편이 시간이 단축되다 보니 이용을 잘 하지 않게 된다. 이렇게 한 시간에도 여러 차례 책을 찾으러 지하를 왕복해야 하는 상황이 발생하는 것이다. 이러한 수고를 덜려면 보존서고 배가 변경 작업에 신중을 기해야 한다.

Mystery 3. 타이밍

자료실의 하루는 분주하다. 아침에 출근하면 개실 준비를 해야 하고, 반납함에 있는 책들을 수거해서 반납 처리를 한 후 서가에 정리해야 한다. 그리고 무료 택배와 상호대차 신청이 들어온 책을 일일이 찾아 도서관리프로그램에서 승인 처리를 하고 택배 가방에 포장한다. 그 틈틈이 방문 이용자를 응대해야 하는 것은 물론이다.

그렇게 동분서주 바쁜 업무를 처리하고 이제 막

자리에 앉아 한숨 돌리려는 그 타이밍에!

관리자가 자료실에 방문한다.

미스터리하게도 거의 매번 타이밍이 그렇다. 서가에서 책을 정리하거나 이용자를 응대할 때는 방문하는 법이 없다. 그리고 신기하게도 조금 전까지 자리를 꽉 채웠던 이용자는 거짓말처럼 보이지를 않는다.

관리자는 자료실을 쭉 훑어본 후

"오늘은 자료실이 여유로운 편이군!"

하고 유유히 뒤돌아선다.

알 수 없는 억울한 마음이 들지만 조금 전까지 열심히 업무를 처리하는 중이었고, 이용자가 많았다고 항변하는 것도 왠지 구차한 것 같아 그만둔다.

자고로 인생은 타이밍이라는데, 관리자의 방문 타이밍이 아쉽다.

전지적 사서 시점

451,042명

작년 한 해 동안 우리 도서관에 출입한 이용자 수다.

1,555명

일 평균 도서관에 출입한 이용자 수다.

책을 빌리러 온 사람, 읽으러 온 사람, 공부하러 온 사람, 독서문화 프로그램에 참여하러 온 사람, 화장실을 이용하러 온 사람, 추위를 피하러 온 사람. 불특정 다수가 들락날락하는 도서관에서 사서가 이용자의 얼굴을 기억하기란 쉽지 않다. 대하는 얼굴이 워낙 많기도 하지만, 용건이 있어 이야기하는 경우가 아니라면 굳이 상대의 얼굴을 바라보려 하지 않기 때문도 있다. 직원에게 감시당하는 것 같다며 민원을 제기하는 이용자들이 간혹 있기에.

이런 와중에도 유독 머릿속에 남는 이들이 있다. 당사자로선 유쾌하지 않을 수도 있지만 좋든 싫든 본인의 존재감이 강렬한 탓이니 자신의 뛰어난 스타성을 받아들였으면 한다. 짧은 사서 경력 중 뇌리에 박힌 몇몇 이용자와의 에피소드를 전지적 사서 시점으로 재구성하여 소개해 본다.

미스터 셜록홈즈

재미있는 일은 모두 신규 때 일어나는 법. 첫 발령을 받은 도서관 자료실에서 있었던 일이다. 이용자 통계를 작성하느라 집중하고 있는데 데스크 앞에 머리가 희끗하게 샌 남성이 섰다.

"뭘 도와드릴까요? 필요하신 게 있으세요?"

"여기서 말하긴 그렇고, 저 뒤에서 얘기 좀 할 수 있을까요?"

최대한 소리를 낮춰 속삭이는 목소리가 조심스러운 데 반하여 내용이 범상치 않다. 이용자가 분리된 공간에서 일대일 면담을 원하는 때는 대개 불편 민원을 제기하려는 경우이기에 낭패감을 느끼지만, 표정을 갈무리한다. 잠시간 말을 끌다 결국 그가 원하는 탕비실로 안내한다.

"어…, 네, 이쪽으로 오세요."

그는 사서와 이용자의 공간을 구분하는 데스크 공간을 성큼 넘어와 탕비실에서 나와 마주 앉는다. 팀장님에게 배운 대로 차라도 한 잔 대접해야 하나 고민하지만 이내 궁금증을 먼저 해결하기로 결심한다. 이런 판단을 내린 데는 상대의 차분하고 정중한 태도도 한몫했다. 차를 권해 진정시킬 만큼 흥분상태로 보이지는 않았다.

"무슨 일이실까요?"

"도서관에 간첩이 있는 것 같습니다."

간첩! 참고로 나는 '이런 것도 모르고, 너 간첩이
냐?'처럼 간첩을 우스갯소리로 소비하는 세태에서
자랐다. 민원의 요지는 간첩으로 의심되는 이용자가
있다는 것이었다.

"왜 그렇게 생각하셨어요?"

"내가 며칠에 걸쳐서 계속 지켜보는데, 이상한 표
에 암호 같은 걸 몇 시간 내내 적고 있어요. 아무래
도 북에서 보낸 암호 해독을 하는 것 같아."

나보다 한참 어르신이 하는 진지한 간첩 신고에
당황스러웠지만 나도 상대에 걸맞은 진중함을 보여
야 했다. 그런데 어떻게?

"아…네….".

사회초년생의 반응이란 참으로 허접했다. 내 미지
근한 반응에도 불구하고 그는 말을 이어갔다.

"종이에 표를 그려서 종일 암호 해독만 한다니까.
가서 한번 봐요."
"네…. 혹시 인상착의와 앉은 장소를 기억하실까
요?"
"데스크 바로 앞 책상에 앉은 남자요. 지금도 그
러고 있으니 보면 알 테요. 내가 신고하는 것보다
공무원이 신고하는 게 낫겠다 싶어 말하는 거요. 필
요하면 내가 증인이 될 수도 있어요."

원형 탁자 너머에 앉은 어르신의 진지함에 일순
그럴 수 있겠다는 생각이 든다. 만약 진짜 그 이용
자가 간첩이라면 포상금은 어떻게 되는 걸까? 혹시
공무원은 포상금도 못 받나? 왠지 억울한데. 그런데
113에는 뭐라고 신고를 접수한담?

'안녕하세요. 저는 ○○도서관에 근무하는 직원인데요, 도서관 이용자가 다른 이용자를 간첩으로 신고하길 바라서요.' 머릿속 한 컷으로 상황극을 그리던 나는 "저 혼자 결정할 일은 아닌 것 같고 직원들과 상의해서 상황을 파악하고 조치하겠습니다."라는 매뉴얼 그대로의 응대로 그를 다시 이용자의 공간으로 돌려보냈다. 그리고 바로 선배님들에게 S.O.S 신호를 보냈다.

짧은 상의 끝에 직원들이 돌아가며 간첩으로 의심되는 이용자를 살피기로 했다. 미스터 셜록홈즈의 조수가 된 기분으로 책을 꽂는 척 주변을 배회하며 곁눈질했다. 왓슨도 셜록의 조수 역할을 할 때 이런 감정이었을까? 진지하지 못한 생각이지만 무료한 직장생활 속 작은 이벤트처럼 느껴졌다. 하지만 미스터 셜록홈즈의 조수 노릇은 시시할 만큼 짧게 끝맺음했다. 잠시간의 탐색 후 우리는 동일한 결론을 내릴 수 있었기 때문이다.

그는 간첩이 아닌,

그저 '스도쿠 마니아'일 뿐이라고.

그 후에 미스터 셜록홈즈가 다시 데스크로 찾아왔던가, 아니었던가는 기억이 가물가물하다. 데스크로 찾아와 그 사람 봤냐고, 간첩 맞지 않냐고 물었던 것 같기도 하다. 사건의 결말이 흐지부지했던 만큼 생각이 잘 나지 않지만, 스도쿠라는 게임을 몰랐던 노년의 미스터 셜록홈즈의 조수가 되어 탐정 노릇을 한 그날의 기억만은 선명하다.

그런데 가끔 이 이야기를 우스갯소리로 꺼낼 때마다 '그가 진짜 간첩이었던 거라면?'하는 생각이 불쑥 든다. 신고 정신이 투철한 셜록홈즈의 눈썰미가 진짜 날카로웠던 거라면? 스도쿠 마니아를 가장한 간첩을 놓친 거면, 어떡하지?

폴리주스를 마신 이용자

소설 <해리포터>에 나오는 폴리주스[1]를 아는가? 폴리주스를 마시면 자신이 원하는 상대의 모습으로 변할 수 있게 된다. 한 마디로 외관을 복제할 수 있는 마법 주스이다. 나는 가끔 도서관에 폴리주스를 마신 이용자들이 있는 것 같단 생각을 한다.

분명 작년까지만 해도 A도서관에 하루 종일 모습을 드러내던 이용자가 올해부턴 B도서관에 부지런히 다니는 모습을 발견한다. 다니는 도서관이야 마음 가는 대로 옮길 수도 있지 그게 뭐가 특별한 일이냐고 묻는다면, 내가 C도서관에 발령받아 근무처를 옮겨도 그가 있다는 점이 특별하다고 말할 수 있겠다.

---

1) 조앤롤링K의 판타지 소설 <해리포터>시리즈에 나오는 다른 사람으로 변신할 수 있게 해주는 약이다. 나이, 성별, 인종을 바꿀 수 있지만 종족은 바꿀 수 없으며, 인간에게만 사용할 수 있다.

그가 나를 따라 도서관을 옮겼을 리는 없고, 3개의 도서관을 모두 다 이용한다고 가정하는 것이 훨씬 합리적이다. 그런데 문제는 세 개의 도서관은 지하철로 다닌다고 가정했을 때 각각 20분 정도씩 떨어진 제법 거리가 있는 도서관이라는 것이다. 구가 다른 세 개의 도서관에서 특별 민원인이 아닌데도 직원의 눈에 띌 만큼 자주 발견될 수 있다는 건, 평범한 일은 아니다. 그렇다고 그가 특별 민원인이냐 묻는다면 단연코 아니라고 말할 수 있다. 그는 이용자끼리 분란이 일어나면 중재하는 역할을 하기도 했으니 오히려 모범 이용자에 가깝다고 할 수 있다. 즉, 순전히 도서관을 골고루 애용하는 시민일 뿐인 것이다. 내가 근무한 3개의 도서관에서 모두 만난 그와 마주치면 가끔 속으로 말을 건네곤 한다. (실은 이 글을 쓴 오늘도 마주쳤다.)

'여전히 도서관에 열심히 다니시는군요. 그런데…, 혹시 폴리주스라고 아세요?'

수상한 작가 혹은 작자

　대학생 신분으로 한 도서관에서 개관연장 아르바이트를 할 때였다. 근무 시간은 오후 1시부터 10시까지였다. 아파트 단지 사이도 아니고, 지하철역 근처도 아닌 아주 애매한 위치에 있던 그 도서관은 저녁 8시가 넘어가면 이용자가 거의 없다시피 했다. 그럴 때면 몰려오는 졸음을 쫓기 위해 서가 사이를 돌아다니며 부재도서를 찾고는 했다. 그날도 마찬가지로 사라진 책을 찾느라 서가를 찬찬히 살피던 중이었었는데 800번대 서가 사이에서 인쇄물을 하나 발견했다.

　간혹 등본이나 논문 등 중요한 개인 서류를 깜빡 잊고 두고 가는 경우가 있기에 주인을 찾아줄 요량으로 내용을 살펴보았다. 종이엔 기괴한 미스터리 도서의 줄거리를 담겨 있었다. 한창 이런 류의 도서를 즐겨보던 내게도 평범하게 다가오는 내용은 아니었다. 엉성하게 나열된 문장과 엽서체 폰트가 내용을 한껏 더 괴상하고 또 유치해 보이게 했다. 누군가가 쓰레기를 버리고 갔구나 싶어 종이를 반으로 접어들고 다음 서가로 넘어갔다.

그런데, 그다음 서가에도 같은 내용이 적힌 종이가 책 사이에 교묘하게 꽂혀있었다. 눈여겨보지 않으면 발견할 수 없도록. 그리고 그 종이는 다음 서가, 그다음 서가에서도 발견됐다. 이쯤 되니 어쭈? 하는 생각이 들어 전 서가를 돌아다녔다. 그리고 내 손엔 20여 장에 달하는 종이가 들려있었다.

누가 이런 짓을? 괘씸한 마음이 드는 한편 음침하다는 생각이 들어 데스크로 돌아와 도서관리시스템에 해당 도서를 검색해 보았다. 당시 근무하던 도서관에는 없는 책이었다. '내가 추리물을 괜히 본 게 아니지.' 구글 검색창을 띄우고 도서를 다시 검색했다. 정식 발매된 책이 아닌지 구입 정보가 뜨지 않았다. 그렇다 할 단서가 발견되지 않자, 어쩐지 시시

해진 기분에 수거한 종이를 분리수거한 후, 손을 씻
으러 화장실로 향했다. 인기척 없이 불만 밝은 화장
실의 적막함이 왠지 불길하더라니, 발을 내딛자마자
소름이 돋았다. 화장실 문에 떡하니 붙은 종이는 조
금 전에 내가 버렸던 그 종이었다. 오호라, 제법 끈
질긴데?

자료실로 돌아가 호들갑을 떨며 같이 근무하는 동
료에게 상황을 설명했다.

"어, 저 이거 휴게실에서도 봤어요."
"대체 누가 이런 짓을 했을까요?"

겨울밤 도서관 사위에 어둠이 짙어져 방문하는 이
용자도 없겠다, 동료와 함께 추리를 시작했다. 수 분
간의 속닥거림 끝에 우리는 마침내 사건을 재구성했
다.

X는 고민했다.

　책을 쓰긴 했는데, 출판사를 통해서 나온 것도, 도서관에 수서된 책도 아니다. 누군가는 읽어줬으면 좋겠는데, 어떻게 홍보하지? 장르가 미스터리물이니까… 고민하던 X는 워드를 켜 글을 써 내려간다. 최대한 자극적이고, 호기심이 생기도록. 고심 끝에 홍보물을 완성했는데, 아뿔싸. 우리 집엔 프린터가 없다. 출력을 위해 도서관으로 향한다. 돈을 들여 여러 장 뽑은 김에 도서관에다가 몇 장 놓아둘까, 하는 생각이 든다. 아무래도 독서하는 사람이 많은 곳이니 관심을 가져주지 않을까? 해가 넘어가고도 한참이 지나 자료실로 들어선 X는 사서의 눈을 피해 서가 사이로 자연스럽게 녹아든다. 이용자가 많지 않아 아무에게도 들키지 않고 홍보지를 놓을 수 있었다. 자신감이 붙어 서가마다 종이를 끼워둔다. 추리물이 모여 있는 843번대 서가에는 특히 더 많이. 출력해 온 종이가 모두 저마다의 자리를 찾은 후, 남은 한 장은 화장실에 붙이기로 한다.

천천히 느긋한 걸음걸이로 자료실을 빠져나가며 내일은 도서관에 책을 기증하는 방법을 알아보리라 결심한다.

실제 경위는 알 수 없지만 지루한 야간근무에 활력을 불어넣는 데만큼은 일조한, 이름도 얼굴도 모르는 미스터리한 이용자와의 일화였다.

X, 당신은 '작가'였나요, '작자'였나요?

칭찬은 고래도 춤추게 한다는데

누구에게나 애정 어린 관심과 칭찬 그리고 격려는 중요하다고 생각한다. 그러나 실제로 일상생활에서 다른 사람에 대해 긍정적 관심을 가지고 칭찬과 격려를 하는 사람은 드물다. 오히려 일을 잘하고 있을 때는 무관심하다가 잘못된 일이 생기거나 마음에 들지 않을 때 흥분하고 질책하는 경우가 많다.

도서관 직원으로서, 사서로서 열심히 한다고 해도 간혹 질책성 민원을 받는 경우가 더러 있다.

도서관 환경 개선을 위해 장시간 앉아있는 이용자들을 위해 통풍이 잘 되는 메쉬천 등받이에 의자 바닥도 쿠션 있는 가구들로 바꾸고 칸막이만 있던 열람실 책상을 칸막이 책상, 오픈형 컴퓨터 책상, 조명 있는 1인석 등 다양하게 바꿔 스마트열람실로 오픈했는데, 기존의 칸막이 책상과 나무 의자가 집중이 잘 되고 공부하는데 더 좋은데 왜 바꿨냐고 다시 가져오라고 하며 행정심판까지 갔을 때,

자료실에 책이 지속적으로 들어오다 보면 이용률이 적은 도서, 복본 도서는 추려 보존서고로 이동시키기도 하고 책이 빽빽하게 꽂혀있는 서가는 여유 공간 마련을 위해 이동하는 경우가 있다. 간혹 이럴 때 내가 보던 책이 제자리에 없다고 해 찾아드리면 본인이 보는 책 위치를 익힐만하면 자꾸 바꿔서 헤매게 만드는지 모르겠다며 휙 돌아서 가실 때,

질책성 민원이 아니더라도 자주 오는 이용자분이 반가워 크게 인사를 하고 반납 자료를 보며 재미있

게 읽으셨는지 물어봤는데 대답 없이 뒤돌아 서가로 가셨다 빌리러 오셨을 때, 서명이 보이지 않게 책을 뒤집어 대출하실 때, 당황스러웠던 기억이 있다.

이용자분이 제기하는 민원 중에는 관리적 측면으로 운영되는 부분을 이용자 입장에서 시정을 요청하는 경우도 있지만, 역지사지의 마음으로 조금만 이해하고 서로 대화했다면 좋았을 소소한 민원도 있다. 이럴 때 사서들은 상처를 받고 위축되는 경우가 많은 것 같다. 이렇게 생긴 마음의 딱쟁이는 다른 이용자의 칭찬과 미소에 아물기도 하지만, 한번 위축된 마음이 다시 활력을 찾기까지는 시간이 걸리는 경우도 많고 열정을 하나씩 접게 되는 경우도 더러 생기기도 한다.

2009년 디지털자료실에 근무할 때의 일이다.

디지털자료실에서 매일 반복되는 업무는 이용자들의 컴퓨터 이용 시간과 예약 현황을 체크하고, DVD

빌려주고, 간혹 게임을 하거나 음란사이트를 보고 있는 분에게 공공기관에서의 질서를 이야기하며 주의주는 일, 컴퓨터에 에러가 생기면 "전원 버튼 꾹 눌러 껐다 켜세요, 작업하시던 파일은 저장이 되지 않으니 주의하세요."라는 무책임하고 무성의하게 느껴지는 말만 되뇔 뿐이었다. '내가 PC방 주인도 아니고.'라는 불친절한 마음을 품고서.

어느 날 머리가 희끗한 남자 어르신이 오셔서 컴퓨터를 이용하고 싶다고 하셨다. 어르신에게 길게 회원가입을 이야기해 봐야 해결 과정이 더 어려워질 것 같아 카운터에서 가까운 좌석을 임시로 열어드렸다. 친절한 마음에 컴퓨터 이용을 풀어드린 건 아니고 계속 이어질 민원 응대를 간단하게 줄이고 싶었던 마음이었던 것 같다. 그런데 웬걸 이분이 자꾸 나를 호출하는 게 아닌가. 한글 작업한 본인의 글을 보라면서 맞춤법이 맞는지, 띄어쓰기는 제대로 했는지. 그런데 그 일이 싫지 않았다. 그분이 나를 불러 준 한마디 때문이었던 것 같다.

나를 사서라고 불러 준 한마디.

나라는 사람을 컴퓨터 이용할 때 부르는 '여기
요.', 컴퓨터 에러 나면 고쳐주고 와이파이 연결해
주는 사람, 용지 떨어지면 넣어주는 사람, DVD 빌
려주는 사람이 아니라 도서관 직원, 사서라고 불러준
한마디가 인정해 주고 예우 해주는 것 같아 스스로
좋았던 것 같다.

다음 날 나는 그 어르신이 또 오실까 싶어 좀 더
잘 알려드리고 싶은 마음에 국어사전까지 가져다 놓
고 대기하는 내 모습이 우습기도 했지만, 잘하고 싶
은 마음이 더 컸던 것 같다. 동문 홈페이지에 독후
감을 올리기도 하고 일기처럼 본인의 일상과 생각을
올리는 일을 디지털자료실을 근무하는 6개월 정도
함께 했던 것 같다. 나중엔 본인의 글을 읽고 느낀
내 생각을 얘기해 보라고 하셔서 곤혹스럽기도 했지
만.

어린이자료실로 자리를 옮기고도 어르신이 도서관을 오가는 길에 들려 잘 지내는지 서로의 안부를 묻곤 했었는데 여러 도서관을 돌고 돌아 재작년에 다시 발령받아 갔을 때 어르신 생각을 하며 그분의 안부가 궁금했던 기억이 있다.

도서관 사서들은 당신의 작은 칭찬과 격려에 춤추는 고래가 되어 신나게 춤출 준비가 되어있습니다.

◦ 이번에 빌려 간 책이 재미있다, 좋았다 해줄 때
◦ 인문학 강좌 주제가 좋았다 해줄 때
◦ 만나고 싶은 작가를 볼 수 있어 좋았다 해줄 때
◦ 리모델링한 도서관이 카페 같아 자주 오고 싶다고 할 때

이런 일상의 대화, 작은 칭찬이 우리 사서들을 힘나게 합니다.

오늘 만난 사서에게 칭찬 한마디 어때요?

3장

도서관이 꿈틀거려요 —

도서관 설문조사와 도서관의 변화

공공도서관은 통상적으로 평생교육, 독서교육 등 프로그램 후 설문조사를 제외하면 전체적인 이용 만족도 조사는 상반기, 하반기 두 차례를 하게 된다. 5월 중순이 되니 이용자 대상 설문조사 결과가 공람되었다. 분석자료를 자세하게 보기 전에 전체적인 만족도를 보니 97.1%나 되었다. 일단 안심이 되면서도 이렇게 만족도가 높으면 앞으로의 도서관 살림을 어떻게 더 잘해야 할지 살짝 걱정되는 건 어쩔 수 없나보다.

　나이, 성별, 거주지역, 방문 목적, 도서관 행사 참

여 여부 등 여러 가지를 제시해 놓고 하나를 선택하게 하는 문항은 예외로 하더라도, 주로 주관식으로 서술하는 항목은 몇 가지 있었거나, 있어도 대수로운 내용이 아닌 경우가 많았다.

그런데 이번 설문조사에서는 도서관 건의사항 수를 보고 깜짝 놀랐다. 가짓수가 많아서도 그렇지만 내용이 예전하고 많이 달라져 있어서다.

어린이들이 소리 내어 책을 읽을 수 있는 공간을 만들어 달라, 대출한 도서를 담아갈 수 있는 장바구니를 구비해 달라, 자서전 쓰기나 문예창작 등 중장년 및 노년층을 위한 프로그램을 개설해 달라, 도서관 내 카페를 만들어 달라, 도서관에 에스컬레이터를 설치해 달라 등 예전하고는 양상이 많이 다른 것 같다. 특히 놀라웠던 건 성인을 대상으로 한 도서관 이용교육을 해 달라고 하는 내용도 있었는데 한 명이 아니라 여러 명이 비슷한 내용을 건의했다는 것이다.

전부터 초등학생 대상으로 도서관 이용교육은 늘 있어 왔다. 여름·겨울 독서교실 교육과정 한 차시에 이용교육을 포함 시키기도 하지만, 별도로 도서관 체험교실, 신나는 도서관 교실 등의 사업명으로 초등학생을 대상으로 이용교육과 독서교육을 겸해서 매주 오전에 어린이자료실에서 행사를 해 왔다.

청소년 대상으로는 단순한 도서관 이용교육을 넘어서 문학체험, 자료실 탐험 등 주도적으로 도서관을 다니면서 체험하는 프로그램을 만들곤 했다.

지금은 초등학생들도 안전상의 문제로 단체 이동이 어려워 예전만큼 많은 학급들의 도서관 방문이 뜸해졌지만, 지금도 초등학교 학급이 방문하고 있고, 특히 유치원에서는 차량을 이용해서 방문하는 경우가 많아졌다.

도서관에서 평생교육이나 문화행사 프로그램은 기획이나 내용, 강사에 따라 이용자들의 반응이 천차만

별이다. 되도록 참여도가 높은 프로그램으로 좀 더 유명하고 능력 있는 강사로, 또 참여율이 많은 요일과 시간으로 매번 업그레이드되어 왔다. 그래서 도서관에서 하는 평생교육 프로그램은 어디 내놔도 품질이 아주 우수하다고 할 수 있다.

그에 반해서 도서관 내에서 습관적으로 하는 대개의 업무는 세상 밖의 의견이나 요구를 제때에 수용하기가 힘든 경우가 있다. 필요성을 전혀 인지하지 못했던 성인대상 도서관 이용교육이 대표적이지 않을까?

「2023년 국민독서실태」를 보면 전국의 공공도서관 수, 사서 수, 운영예산, 공공도서관 건립과 리모델링은 현저히 증가하고 있는 반면, 1관당 인구 수 12% 감소, 1관당 대출자 수가 3.6% 감소하고 1관당 방문자 수는 무려 43.9%가 감소하고 있다는 통계를 보고 놀랐다. 물론 요즘 시대에는 책보다 더 재미있는 콘텐츠가 많아서인지 다른 매체에 책과 도서관이 밀리고 있다는 느낌을 받는다.

책을 빌리러 도서관에 오는 것도 귀찮은 일이고 더군다나 도서관에 오면 조용히 해야 한다는 중압감도 있어서 마음이 가벼워지지는 않는다. 가끔 열람실에서 중장년층들이 청년들의 소음에 못 참고 야단을 치는 경우도 있는데, 청년들이 떠드는 경우가 아닌데도 볼펜 소리나 노트북, 키보드 소리에도 민감해서 꼭 한 소리 하고 넘어가는 어르신이 꽤 있다. 이러한 경험이 청소년으로 하여금 도서관을 멀리하게 되는 요인이 되기도 한다.

올해에는 성인 대상 도서관 이용 교육을 한 번 시도해 볼까 한다. 우리가 이용자가 생각하는 것보다 훨씬 더 많은 일을 하고 있고, 훨씬 더 많이 세심하게 이용자들을 보살피고 있다는 것을 알려야겠다. 그리고 그들의 생각과 아이디어를 설문조사가 아니라 항상 대면해서 듣고 그들이 원하는 도서관을 만들어 나가야겠다.

도서관 밸런스게임

몇 년 전부터 밸런스게임이 유행이다. 밸런스게임이란 주어진 두 가지 선택지 중에 반드시 하나를 택하는 과정을 게임처럼 즐기는 것을 말한다. 예를 들어, '짜장면 vs 짬뽕'처럼 쉽게 선택할 수 있는 질문이 있는가 하면 '100%의 확률로 천만 원 받기 vs 20%의 확률로 1억 받기'처럼 사뭇 진지하게 고민이 되는(사실 쓸데없는 고민이지만) 질문도 있다.

그런데 갑자기 웬 밸런스게임 타령이냐고? 도서관 사서로 근무하면서 양자택일의 밸런스게임 같은 상황을 맞닥뜨리는 일이 꽤 있기 때문이다.

공공도서관의 특성상 불특정 다수의 폭넓은 이용자가 찾는 곳이기 때문에 원하는 서비스와 요구사항이 다양할 수밖에 없다. 이런 다양한 요구를 충족시키기 위해서 때로는 밸런스게임처럼 어려운 결정을 내려야 하는 순간이 있는 것이다. 그리고 그 결정은 거의 필연적으로 어떤 이용자에게는 만족을, 또 다른 이용자에게는 불만족을 주기도 한다. 물론 사서는 그 선택지 사이에서 늘 최선의 균형을 찾기 위해 노력하지만, 그 과정이 쉽지만은 않다.

이 같은 경험을 바탕으로, 나는 여러분에게 몇 가지 도서관 밸런스게임을 제시하고자 한다. 도서관의 크고 작은 고민을 여러분도 함께 즐겨주시길 바란다.

1. 도서관에서는 '쉿! 조용히' vs '자유로운 분위기'

내가 근무하는 도서관은 2021년에 도서관 환경개선을 위한 리모델링을 진행하였다. 이때 이용자의 의견수렴 과정을 거쳐서 일반적인 도서관처럼 열람실과 자료실이 분리된 형태가 아니라 독서, 학습, 휴식 공간이 함께 어우러지는 복합 열람 공간으로 도서관을 조성하였다. 리모델링 후 전보다 현대적이고 편리해진 공간 덕분에 많은 이용자가 만족감을 나타냈다.

하지만 역시나 모두가 만족하는 도서관이 되기는 어려운 법인가 보다. 바로 소음이 문제였다. 새로 조성된 공간이 학습은 물론 자료 열람, 전자기기의 사용, 스터디룸 등 다양한 목적으로 활용되다 보니 아무래도 독서실 같았던 예전의 열람실과는 달리 조금은 자유로운 분위기가 형성되었다. 그러자 조용한 도서관 환경에 익숙했거나 소음에 민감한 이용자들이 불만을 표시했다. 키보드 타자, 마우스의 클릭 소리가 학습에 방해가 된다는 것이다. 이런 의견을 가진 이용자가 적지 않아서 도서관은 한동안 문제를 해결하기 위해 고민을 거듭했다.

그 결과 열람실 내에 일부를 집중 학습 공간으로 마련하여 무소음 공간으로 지정하고, 무소음 키보드와 마우스를 대여하여 이용할 수 있도록 했다. 그리고 이에 대한 안내 게시물을 제작하여 이용자에게 적극적으로 홍보하는 과도기를 거쳤다.

이러한 일련의 과정 덕분에 요즘에는 소음과 관련한 이용자의 민원이 많이 줄어든 상태이다. 소음 문제를 해결하여 다행이긴 하지만 한편으론 이런 생각이 들기도 한다. 도서관은 앞으로 단순히 조용한 학습 공간을 넘어서 다양한 커뮤니티 활동과 문화적 교류의 장으로 더욱 진화할 것이다. 따라서 도서관이 책장 넘기는 소리와 필기 소리로 가득한 조용히 해야만 하는 곳이라는 이미지에서 벗어나 사람들이 모여 서로 이야기 나누며 소통하고 토론하며 협업하는 공간으로 더욱 많은 이들에게 인식되길 바라본다.

2. 여름철 적정 온도의 딜레마

'에어컨은 빵빵하게!' vs '냉방병이 무서워!'

해마다 여름이면 역대급 최고 기온을 기록했다는 뉴스를 보는 듯하다. 기상청의 "2024년 여름 기후 전망"에 따르면 올 여름철 기온도 평년보다 높을 확률이 높다고 한다.

도서관도 꽤나 날씨 상황에, 특히 여름 날씨에 영향을 많이 받는지라 벌써 걱정이 앞선다. 같은 환경에서도 사람마다 체감 온도가 달라 누군가는 덥게, 다른 이는 춥게 느끼기 때문에 여름철 온도 조절은 도서관의 최대 난제이다. 홈페이지 게시판의 상당 지분을 차지하는 글도 도서관 '온도'에 관한 내용이다. 늦은 봄부터 에어컨 가동을 요구하거나, 도서관의 냉방 정도가 더위를 식히기에는 도무지 부족하다는 이용자가 있는 반면, 냉방 온도가 너무 낮아 냉방병에 걸릴 것 같다는 이용자도 있다. 이쯤 되면 모두가 쾌적하게 느낄만한 적정온도를 찾는 것이 과연 가능할까 싶다.

그럼에도 불구하고 도서관에서는 최적의 온도를 유지하기 위해 그날의 이용자 수에 따른 밀집도, 습도, 기온 같은 날씨 상황을 고려하여 냉방 온도나 시간을 수시로 체크하며 탄력적으로 온도를 조절하고 있다. 도서관 운영은 여러모로 세심함이 필요함을 다시 한번 느낀다.

그나저나 날로 뜨거워지는 지구를 생각하면 마음이 무겁다. 모두에게 에어컨을 지금 당장 끄자고 말할 수는 없겠지만 다 함께 조금씩만 에어컨 사용을 줄이기 위해 노력해 본다면 좋겠다.

3. 공공도서관에서 연체료
'내야 한다' vs '내지 말아야 한다'

도서관에서 내가 보고 싶은 책은 항상 대출 중일 때가 많다. 그런 경우 책의 반납 예정일을 확인하고 예약을 해둔 후, 책이 빨리 반납되길 기다린다. 그러나 반납 예정일이 되어도, 심지어 수일이 지나도 책이 반납되지 않아 화가 난 경험이 있을 것이다. 누군가 그 책을 연체해서인데, 도서관에서 연체자는 늘 골칫거리이다.

수시로 반납 독촉 문자를 발송하고 연체 안내 전화를 돌리며 독촉장까지 보내지만, 몇몇 연체자는 그야말로 감감무소식이라 사서의 애를 태운다. 그렇다면 이렇게 다른 이용자에게 불편을 주고, 사서에게 업무를 과중하게 하는 연체자에게는 어떤 제재가 부과될까? 대부분의 공공도서관에서는 자관 운영 규정에 의거하여 연체 일수만큼의 대출 정지 기간을 부여하고 있다. 책을 빌린 해당 도서관뿐만 아니라 책이음 전국 서비스에 참여하는 모든 도서관에서 일괄적으로 책을 빌릴 수 없다.

그런데 대출 정지만으로는 너무 약한 처사이므로 이에 더해 연체료를 부과해야 한다는 의견도 종종 있다. 언뜻 생각하기에는 책을 제때 반납하게 하고 연체료를 통해 얻은 수입을 도서관 운영 자금으로 활용할 수 있는 좋은 방법인 것 같다. 하지만 공중이 이용하는 공공도서관에서는 경제적으로 어려움을 겪는 이용자가 도서관 서비스를 이용하는 데 장벽이 될 수 있고, 도서관에 대한 부정적인 인식을 초래하여 도서관 이용률의 감소로 이어질 수도 있기 때문에 연체료를 부과하는 건 쉽게 결정할 수 없는 문제이다.

현재 사서로서 내가 할 수 있는 일은 더욱 열심히 반납 안내 문자를 보내고 빈번히 독촉 전화를 하는 것일 테다. 다만 상습 장기 연체자들에게 꼭 하고 싶은 말이 있다.

"도서관에서 오는 전화를 수신 거부하지 마세요. 연체했다고 저희가 질책하지 않아요. 저희랑 마주치기가 부담스러우시면 무인반납기에서 살짝 반납하고 가실 수도 있어요. 저희는 오늘도 당신을 애타게 기다리고 있답니다."

이렇듯 도서관에서의 밸런스게임은 때로는 어려운 결정을 요구한다. 이용자 한 사람 한 사람의 필요와 기대를 충족시키는 동시에, 도서관 운영의 균형을 맞추는 일은 쉽지 않은 과제이기 때문이다. 하지만 이 같은 과정은 나에게 도서관에 대한 더 넓은 시야를 제공하고, 다양한 이용자의 필요를 이해하며, 더 나은 서비스를 제공하기 위한 방법을 고민하게 만들었다. 결국 밸런스게임은 도서관을 더욱 풍부하고 다채로운 공간으로 만들고 이용자와 함께 발전적으로 성장하기 위한 우리 사서들의 행복한 고민일 것이다.

이토록 불편한 도서관

누군가 도서관에 방문한다면 무슨 생각을 할까? 책을 빌리고 싶은 사람은 자료실이 어딘지, 프로그램에 참여하려는 사람은 강의실이 어딘지, 공부를 하려는 사람은 열람실이 어딘지 찾을 것이다. 원하는 곳으로 이동했다면 다음은 어떻게 해야 할지 방법을 구할 것이다. 책을 빌리는 데 필요한 회원증은 어떻게 만드는지, 프로그램 참여 신청은 어떻게 하는지, 열람실 좌석은 어떻게 이용해야 하는지 등등 각자가 필요한 상황에 맞게 홈페이지를 찾거나, 직원들에게 물어보거나 해서 도서관을 이용할 것이다. 도서관 이용은 앞에서 말했듯이 자료를 이용하거나 프로그램에 참여하거나 열람실 이용하는 등이 보통 주를 이루지만 도서관은 그 외의 다양한 목적으로 이용자에게 공간과 시설을 제공하고 있다.

누구를 위한 공간인지

이용자로서 도서관을 이용할 때는 단순히 내가 원하는 자료가 있는지 이용 시간이나 대출 기간 등을 확인하고 편한 좌석을 찾아다녔다. 꼼꼼히 도서관의 공간을 둘러보거나 시설이 어떤지 생각한 적도 없었던 것 같다. 사서를 해야겠다고 전공 선택을 한 후 도서관 탐방을 하러 갔을 때는 내가 다니는 일반적인 공공도서관과의 방문한 도서관을 비교하면서 편의성보다는 특이점이 없는지에 더 주력했었다. 그리고 도서관에서 처음 일을 시작할 때 "왜 그동안은 이런 생각을 한 번도 한 적이 없었을까?"라며 의문을 가졌던 것 같다.

보통의 공공도서관은 휴게 공간이 있다. 휴게 공

간에서 이용자들은 간단한 간식을 먹기도 하고 전화 통화를 하기도 하는 등 자유시간을 보낼 수 있다. 그러면 직원들의 휴게 공간은 어디일까? 도서관마다 여건이나 상황에 따라 다르겠지만 내가 가본 도서관 중에서는 사무실 안에 있는 도서관도 있고, 휴게실이 따로 구비되어 있는 곳도 있었다.

지금으로부터 오래된 이야기지만 휴게실이라는 공간에 대해서 진지하게 생각하게 된 적이 있었다. 나는 처음 개관연장 사서로 A도서관에서 근무를 시작하고 다음 해에 B도서관으로 옮겨서 개관연장 사서로 1년을 더 근무했었다. B도서관은 A도서관보다는 작았지만 한적해서 여유 있게 근무할 수 있는 곳이라서 괜찮다는 평을 들었었다. 하지만 근무를 시작한 첫날부터 놀랐다. 주변에 마땅히 갈만한 식당도 한두 군데뿐이라서 다들 도시락을 챙긴다고 미리 들었기에 나도 첫날부터 도시락을 챙겨 왔었다. 고대하던 식사 시간이 되었지만, 사무실 안 탕비실이나 직원 휴게실도 아닌 다른 공간에서 도시락을 먹게 되었다.

B도서관은 따로 탕비실이나 직원 휴게실이 없었다.

그러면 직원들은 식사를 어떻게 할까? 하나뿐인 강의실이 있는데 수업이 없으면 강의실에서 도시락을 먹는다고 들었다. 하지만 강의실에 프로그램이 있다면? 이용자가 적어서 찾는 사람이 거의 없는 수유실이 암묵적인 직원들의 휴게공간이었다. 수유실은 보통 잠겨있어 누군가가 요청을 받으면 열어주는 형식으로 운영되었고, 수유실 내에 편의 물품도 있었으며 별다른 공간도 마련하기 어려웠기에 어쩔 수 없었을 것이다.

하지만 나에게는 처음 겪어보는 일이기도 했고 양심에 찔려서 걱정을 많이 했었다. '혹시 우리가 밥을 먹고 있는 도중에 누군가 수유를 해야 한다고 하면?', '내가 수유실에 들어가는 것을 보고 애도 없는데 이상한 생각을 안 하려나?' 등 나름 편하게 쉬라고 열어주신 공간이지만 불편하기만 했던 것 같다. 그래서 근무 초반에는 밥을 마시듯이 빨리 먹고 밖으로 나가서 돌아다니기도 했었다. 그래도 시간이 지나고 나니 수유실에서 쉬는 게 익숙해졌다. 빈 강의실이 없다면 마땅히 공간도 없고 나도 짧은 시간 내로 쉬어야 하니 어쩔 수 없다고 스스로 합리화했던 것 같다.

하지만 위기는 방심할 때 다가오는 법. 익숙하게 도시락통을 들고 수유실로 들어가 문을 잠그고 도시락을 먹는 도중에 사건이 터졌다. 잠긴 문을 열려는 사람이 있었다. 단순히 수유실을 보고 문을 열어 구경하려는 사람들은 많았기에 전처럼 무시하고 밥을 먹었다. 하지만 밖에 있는 사람은 문을 열려는 시도가 계속 이루어졌고 두드리기도 했다. 뭔가 이상한 낌새를 그때부터 느끼고 뒤늦게 정리한 후에 문을 열었을 때는 화가 난 이용자가 눈앞에 있었다. 재빨리 사과하고 정리 후에 공간을 떠났지만, 이용자는 이미 수유실이라는 공간이 다른 목적으로 사용되고 있었다는 것을 알고는 화가 난 상태였다. 이후 도서관에서는 다시는 수유실을 다른 목적의 공간으로 이용하지 않겠다는 사과문을 부착했다. 내가 주도해서 일어난 일은 아니지만 나도 다른 목적으로 수유실을 사용했기에 마음이 오랫동안 불편했다. 잘못을 제기한 이용자가 자주 오는 사람이 아니었으니 그 이후로 기분이 나쁘다고 생각해서 다시는 오지 않았을 수도 있다. 하지만 수유실 사용자가 적다고 하더라도 다른 목적으로 이용해선 안 됐다. 처음부터 잘못된 일인 것을 알았고 불편한 마음이 들었으면서도 다른 이의제기 없이 남들을 따라 사용했기에 이후에도 수유실이 보이면 "왜 다른 생각을 못 했을까?"하며 혼자 반성하곤 했다.

그 이후로 어떤 도서관에 가든지 이용자 휴게공간을 지나칠 때면 직원들의 휴게공간은 어디일지 궁금해졌다. 당연히 있다고 생각하는 공간이 어딘가는 없을 수도 있을 테니까. 공간의 처음 취지와는 다르게 다른 공간으로 사용되어서 누군가에게 불쾌감을 주지 않았을까? 가급적이면 도서관 안에서 열심히 일하는 직원들과 즐거운 마음으로 도서관을 방문한 이용자들간의 갈등이 없었으면 한다.

공간에는 그에 맞는 용도와 사용자가 있다. 이미 지어진 도서관에 "원하는 공간을 새롭게 만들어주세요!"라는 요구를 받아들이기에는 어렵겠지만 중간 정도로 절충할 수 있게끔 조절하는 게 도서관 직원들이 매일 고민하는 바가 아닐까 싶다.

불편함의 상대성

언제나 같은 자리에 같은 모습으로 있는 도서관 같겠지만 도서관은 조금씩 변하고 있다. 오래된 건물에 오래된 책을 잔뜩 가지고 있을지라도 과거에만 머물러있지 않고 현재에서 미래를 바라볼 수 있도록 노력 중인 것 같다. 어릴 때 공공도서관을 떠올리면 정말 오래된 책에 느린 컴퓨터가 바로 떠오를 정도인데 요새는 노트북이나 태블릿을 대출해 주는 도서관도 있다고 하고 서점에서 바로 신간을 대출해서 볼 수도 있는 서비스도 있으니 도서관 이용자라면 전보다 정말 편하고 좋겠다는 소리가 절로 나온다. 하지만 편하다고 해서 불편하지 않은 것은 아니다.

이용 편의를 위해서 새롭게 조성된 공간이더라도 익숙함이 좋은 사람들은 낯선 게 싫을 수도 있다. 모두에게나 열려있는 공간이지만 불쾌감을 주는 사람이 있다면 빨리 내쫓았으면 좋겠다는 사람도 있다. 여러 사람이 이용하는 공간인 만큼 어느 한 사람의 100%의 만족을 채우기는 어렵다.

처음 자료실에서 근무하던 때만 해도 도서관이 어디 있는지, 이용은 언제까지 가능한지 단순 질의 정도만 전화 문의로 받았었다. 이용자 분들은 홈페이지 게시판보다는 주로 도서관에 방문하셔서 궁금한 것은 직원들에게 물어보시곤 했다. 옛날에는 도서관에서 진행 중인 서비스도 현재보다는 적고, 주변에 있는 도서관이 많지 않아서 그럴 수도 있을 것 같다. 요새는 도서관이 주변에 많고 도서관마다 하는 서비스도 다양해졌다. 그리고 손쉽게 스마트폰 하나만 있으면 도서관 이용 애플리케이션을 이용하거나 도서관 홈페이지로 접속해서 이용할 수 있다. 손쉬운 이용으로 도서관에 대해 잘 아는 이용자들도 많고 여러 도서관을 이용하는 사람들도 많아졌다.

예전과 같은 단순 전화 문의는 지금도 있지만 더 복잡한 요구사항이 늘어났고 홈페이지 민원도 꾸준히 생겼다. 민원이 꼭 나쁜 것만은 아니다. 생각해보지 않았던 문제를 발견해서 해결할 수도 있고, 잘못된 방식을 고칠 수도 있다. 다수가 이용하는 공간인 만큼 다양한 민원이 있는 게 당연하다. 어쩌면 모르고 그냥 지나쳤던 것들도 뜻밖의 발견으로 고칠 수 있는 게 다행이라고 생각한다. 한 사람의 의견일지라도 모두를 위한 방향이라면 해결할 수 있도록 오늘도 최선을 다해 노력해야겠다고 다짐해 본다.

도서관의 토니 스타크

어른이 되면 많은 것이 달라질 거야

어릴 적 주변 어른들이 나에게 자주 해주던 말이었다.

지금도 많은 나이라고 할 수는 없지만, 학교의 품에서 벗어나 사회에 나오고 어른의 삶을 시작하면서 어릴 적과 크게 달라진 것이 있다. 바로 인간관계가 어릴 적처럼 많이 늘어나지 않는다는 것이다. 무수히 팽창하는 우주처럼 매년 학교에서 새로운 친구를 만나고, 조별 과제를 하는 등 내가 크게 노력하지 않아도 계속해서 변화하고 늘어가던 어린 시절의 인간

관계와 달리 어른의 인간관계는 노력하지 않으면 멈춰있거나 점점 줄어들었다.

그중에도 어른이 된 후, 새롭게 만나는 사람들과 이야기할 때면 가장 먼저 나누는 말이 있다.

"무슨 일 하세요?"

나는 이 말을 들으면 항상 고민한다.
정확히 내가 무슨 일을 하는지 아직 잘 설명할 수 없기 때문이다.

나는 사서 공무원이다. 공공도서관에서 일하고 있는,

"엥? 뭐가 문제인가요? 다 설명한 게 아닌가요?"라고 말할 수도 있다. 하지만 이렇게 설명하기엔 대부분의 사람이 생각하는 공공도서관 사서와 실제 우리 사서들이 하는 업무에는 차이가 크기 때문이다.

내가 공공도서관 사서라고 말하면 사람들은 아 도서관에서 책 빌려주는 업무 하시는군요! 라고 답한다. (혹은 생각하는 것 같다.)

내가 근무하는 도서관에는 사서직 공무원이 총 17명이 있다. 문득 의문이 들 것이다. 도서관에 직원이 왜 이렇게 많아? 책 빌려주는 곳인데, 내가 갔던 공공도서관에는 직원이 그렇게 많지 않았던 것 같은데?

물론 내가 근무하는 도서관이 지역에서 큰 도서관이지만(이름에 중앙이 들어가 있을 정도다. 실제로 중앙은 아니지만) 도서관에는 대출·반납 데스크 뒤에 많은 사람들이 다양한 일을 하고 있다.

도서관은 과거 단순히 책을 빌려주는 공간에서 지역사회의 문화 커뮤니티로 변화하고 있다. 독서 활성화를 위한 책 읽기, 글쓰기 프로그램, 평생교육 프로그램 기획과 운영, 다른 지역, 학교 도서관과의 연계

사업, 각종 행정업무 등 여러 업무가 있다.

그중에서 내가 작년에 담당했던 정말 특이한 일을 소개하려 한다.

세상은 너무나 빠르게 변하고 있다.

어릴 적 짜장면을 먹고 싶던 나는 중국집에 전화 주문을 할 때 긴장하지 않기 위해 종이에 해야 할 말들을 미리 적어놓고 전화를 했었다.

필요한 물건이 있으면 그 물건을 사기 위해 엄마와 같이 집 근처 시장이나 마트를 돌아다니며 물건을 찾았다. 이제는 짜장면을 먹고 싶던, 필요한 물건이 있던 그저 누워서 휴대전화를 킨 뒤 앱에 들어가원하는 물건을 주문하기만 하면 된다.

도서관도 마찬가지이다.

과거에는 책의 정보와 위치를 손수 적은 카드 목록을 열심히 찾아 이용자가 원하는 책을 가져다주었다. 또 도서관에서 대출, 반납을 할 때마다 누르스름한 책 뒤 전지에 있는 대출 반납 카드를 꺼내 일일이 대출자 이름을 써냈었다.

이제는 변해버린 우리 시대와 마찬가지로 도서관에서도 원하는 책이나 정보가 있으면 컴퓨터, 휴대전화를 통해 검색하면 해당 자료들이 나오고, 책을 대출하고 싶으면 사서에게 갈 필요 없이 키오스크를 이용하거나 심지어는 배달로도 신청할 수 있다. 이런 편리하고 자동화된 도서관의 이면에는 도서관 전산이라는 평소에는 사소하고 당연해 보이지만 문제가 생기면 너무나 불편한 업무가 있다.

도서관 전산 업무는 말 그대로 도서관의 자동화, 전산화를 위한 물품들을 구입 또는 관리하고 이를 위한 이용자 개인정보, 보안 등을 다루는 업무이다. 전통적인 도서관에서는 전혀 볼 수 없었던 완전히 새로운 도서관의 업무이다. 전산 업무를 맡는 인원도 보통 도서관별로 한 명 정도에 업무 또한 보통의 사서의 업무와는 전혀 달라 잘 모르는 부분이 있어도 물어볼 사람이 별로 없어서 이 업무를 맡는 것에 대해 호불호가 아주 명확하게 갈린다. 소위 말하는 컴맹이라는 사람들은 업무를 맡자마자 IP(Internet Protocol)며 UPS(무정전전원장치), DB(Database) 서버 등 생전 처음 들어보는 전산 용어들에 도망가기도 한다. 하지만 창의적으로 프로그램을 개발하지 않아도 되고 이용자와 면대면으로 마주칠 일도 거의 없기에 좋아하는 사람들도 있다.

나는 다행히도 컴퓨터공학을 복수로 전공하여 일반 사서들보다는 컴퓨터와 친하기도 했고 정기 인사이동 당일에 전임자와 교체가 되어 반나절 정도 만에 인수인계를 받고 바로 업무에 투입되는 보통의 공무원과는 다르게 초임 발령을 10월에 받아 사수에게 3개월 동안 느긋하게 배울 수 있었다.

물론 처음부터 끝까지 잘 맞고 편한 업무는 아니었다. 컴퓨터와 친하다는 정도지 컴퓨터공학과는 그

영역이 달라 새로 배워야 하는 부분들이 많았고 대출 반납 키오스크뿐만 아니라 도서관 안내전광판, 전자신문 기기까지 도서관에서 전기가 들어가는 거의 모든 것들을 다뤘고, 도서관 자동화 프로그램뿐 아니라 행정프로그램, 보안프로그램, 서버 프로그램까지 다뤄야 하므로 초반에 배워야 할 것들이 매우 많았다.

또 일반적으로 도서관 전체가 감사단에 감사받는 것과 다르게 전산 업무 감사는 전산직 출신 감사관이 일대일로 붙어 도서관을 돌며 감사를 진행한다. 이용자들의 개인정보를 많이 다루는 공공도서관 특성상 개인정보, 정보보안 부분에 민감할 수밖에 없어 입직 6개월 차에 정기 감사를 받게 된 나는 두려움에 떨며 감사를 받았었다. 다행히 큰 문제 없이 개선 사항 정도만 알려주시고 끝이 났다.

이렇듯 일반적이지 않은 업무로 불호일만한 요소들이 많지만, 한편으로는 장점도 많은 업무이다. 앞에서 말한 프로그램 개발을 위해 창의성을 요구하지 않고 민원으로부터 어느 정도 자유롭다는 점뿐 아니라 지원 부서이기 때문에 부수적인 업무가 거의 없이 주어진 업무만 하면 된다. 또 전통적인 도서관 업무가 아니고 업무 또한 시대에 따라 빠르게 변하기 때문에 상사로부터 자유롭게 일할 수 있기도 하다. 그리고 개인적으로 가장 좋았던 점은 많은 직원들을 만나고 도와줄 수 있다는 점이었다. 아무리 도서관이 작다고 해도 부서가 다르고, 하는 업무 또한 각기 다르기 때문에 마주치고 얘기할 일이 그리 많지 않은데 전산 업무는 직원들의 컴퓨터 오류를 고쳐주기도, 프로그램 업무 권한을 주기도 하는 등 도서관의 모든 직원들을 보조하며 친해질 수 있는 계기가 되었다.

인생사 새옹지마라는 말을 참 좋아한다.

비록 처음부터 남들과는 다른 길을 갔었고 어려운 점도 많았지만, 첫 업무로 맡았기에 아무것도 몰라도 부딪힐 수 있었고 또 전산 업무를 통해 많은 사람들에게 도움을 받고 또 주었기에 신규 사서 공무원으로 선배들과 좋은 관계를 만들 수 있었던 것 같다.

나는 지금 또 같은 기관에서 내부 발령을 통해 새로운 일을 배워나가고 있다. 1년 만에 다시 새로운 일을 맡게 되어 모든 것이 새롭고 아직도 적응 중이지만 시간이 지나고 나면 또 새옹지마라는 말을 하며 즐겁게 지금을 회상할 것 같다.

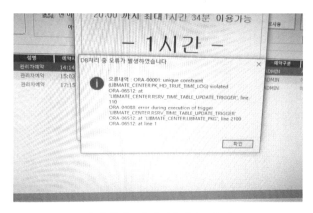

전산에서 가장 무서운 순간

얄궂은 책

종이 냄새.

엄지와 검지에 닿는 거친 촉감.

사락, 소리 내며 빳빳하게 넘어가는 종이.

그 위에 열 맞춰 정갈하게 찍힌 활자.

내가 책을 사랑하는 이유 중 몇 가지이다. 나뿐만 아니라 대부분의 사서들이 어떤 형태로든 책에 대한 애정을 품고 있을 것이다. 책을 싫어하는 사람이 어떻게 하루의 절반 이상을 책과 함께 노동하기를 택하겠는가. 그런데 업무로 책을 다루다 보면 이러한 애정과는 별개로 종종 '얄궂은 책'이 생기고는 한다.

아주 주관적인, 그러나 사서라면 어느 정도 공감하리라 예상하는 얄궂은 책의 유형을 몇 개 소개해 보겠다.

유형 1. 손이 가요, 손이 가

일반적으로는 손이 안 가는 책보다 손이 가는 책이 당연히 좋은 책일 것이나, 사서 입장에서 가는 책들은 업무를 늘리는 얄미운 대상일 뿐이다.

서가 사이에서 임의로 제목을 출력해 붙여둔 책을 발견한 적이 있는가? 언뜻 보면 훼손된 책을 수리해서 꽂아뒀나 싶겠지만, 사실은 사철 제본으로 만들어진 책일 확률이 높다. 책을 엮은 실이 책등에 그대로 노출되는 제본 형태를 사철 제본이라고 하는데 펼침성과 심미성이 뛰어난 것이 특징이다. 내 책장에도 한 권쯤 꽂혀있으면 멋지겠다 싶을 정도로 보기 좋은 형태이나, 책을 일정한 규칙에 맞추어 정리하고 배열하는 사서 입장에서는 일손이 한 번 더 가는 도서일 뿐이다. 도서관에서는 책등이 보이게 책을 꽂는 것이 보통의 정리법인데 사철제본 책은 책등에 표제가 적혀있지 않기 때문에 표제를 별도로 만들어 붙여야만 한다. 이 작업을 거치면 당초 제작자의 의도와 달리, 보기에 예쁘지도 않고 시간이 지나면 접착력이 떨어져 표제가 뜯겨 사라지기 일쑤다. 정리할 때도 보수할 때도, 일손이 여러 번 가는 대표적인 형태다.

도서관을 좀 드나든 이용자라면, 유·아동 도서를 대출·반납할 때 유독 기계 인식 오류가 많이 발생하는 것을 느꼈을 것이다. 유·아동 도서에는 주로 단단하고 두꺼운 하드커버를 표지로 활용하는데, 도서 정보를 기계에 자동으로 입력해 주는 RFID칩의 인식 민감도가 하드커버에서 현저히 떨어지기 때문에 오류 발생이 잦다. 이 분야의 갑(甲)은 번쩍이는 거울지를 사용한 표지 도서이다. 이런 책은 단독으로 인식시켜도 정보가 안 읽히기 일쑤인지라 일반 도서에 비해 꼭 손이 한 번 더 간다. 데스크에 이용자가 밀려들 때 등장하면 속으로 '하필. 지금?'을 외치게 하는 책이다.

유형 2. 우락부락이 제멋

일반도서보다는 주로 유·아동 도서에서 많이 나타나는 유형이다. 서가 한 칸의 폭보다 큰 특이 판형의 도서는 다른 책들처럼 단정하게 배열하기가 쉽지 않다. 도서관이 아니라면 이리저리 테트리스처럼 책을 쌓으면 그만이겠지만, 청구기호 순으로 규칙에 따라 책을 배열해야만 하는 사서는 난감함을 느낄 수밖에 없다. 서가 사이를 지나는 이용자의 몸에 걸려 이용자가 다칠 수도 있기 때문에 어떻게든 서가에 맞춰 잘 넣어보려 노력을 들이지만, 결국 눕혀 꽂거나 다른 책 위에 올려두는 것으로 타협하고야 만다. 판형의 다양성을 존중하고 지지하면서도, 한정된 공간에 책을 배열하다 보면 효율을 추구할 수밖에 없기에 얄궂은 감정이 들고 마는 유형이다.

유형 3. 내겐 너무 무거운 당신

지금까지 언급한 유형 중 가장 얄궂은 유형이다. 책을 제작할 때 외국에 비해 한국이 유독 양질의 종이를 사용한다는 이야기를 들은 적이 있는가? 이는 소비자의 선호를 반영한 것인데, 외국에서는 휴대성을 중요하게 생각해서 소프트커버를 채택하고 우리가 흔히 '갱지'라 부르는 가벼운 페이퍼 종이를 많이 사용하지만, 우리나라는 책을 소장하는 행위 자체를 중시하는 경향이 있어 돌가루로 만든 도톰한 내지와 하드커버를 채택하는 경우가 많다고 한다(같은 책이어도 하드커버 버전의 도서 판매율이 높다는 출판업계 종사인의 인터뷰를 본 기억이 스친다). 나 또한 소비자 입장일 때는 빳빳하고 도톰한 종이를 사용한 책을 선호한다. 쉽게 낡지 않고, 어쩐지 폼도 나니까. 그러나 책을 다루는 사서로서는 반드시 반대의 편에 서게 되는, 특정한 시점이 생긴다.

우리 도서관이 1년 동안 구입하는 도서는 1만 3,000여 권에 달한다. 이 많은 양의 도서를 한정된 규모의 서가에 정리하기 위해서는 기존 도서 중, 이용률이 낮은 도서를 솎아 보존서고로 옮기는 과정을 필수로 거쳐야 한다. 이 과정은 종종 서가 재배열을 동반하는데 당연하게도 하루아침에 '짠!' 하고 완료되는 것이 아니다. 휴관일을 틈타 직원들이 줄지어 서서 연탄을 나르듯 책 더미를 나르는데 유독 무거운 000(총류), 600(예술)대 차례가 오면 손목이 시큰거리는 것은 기본이요, 허리마저 뻐근하게 힘이 들어가곤 한다. 크고 두꺼운 책들은 당연히 무거우리라 예상하고 전달받지만, 판형이 작은데도 불구하고 얼마나 좋은 종이를 썼는지 묵직한 책들도 제법 있다. 이런 책들을 다음 순번의 사람에게 넘길 때는 상대의 손목과 허리를 위해 "무거워요!" 하고 알려주기도 한다. 이처럼 노동에 가까운 작업을 며칠간 반복하다 보면 책이 책으로 안 보이고 'AI가 지적 노동을 대신하는 21세기에 인간 대신 노동해 줄 기계가 왜 도서관에 보급되지 않는가?', '컴퓨터 폴더를 정리하는 것처럼 잘라내기(Ctrl+x)해서 붙여넣기 (Ctrl+v)하고 싶다…'는 등 엉뚱한 생각을 하게 된다. 작업시간이 길어질수록 책에 대한 애정이 감소하는 것은 당연한 수순이다. 책을 나르는 기술은 없으면서 성격만 급하던 신규 시절에는 무리하게 정리하다 허리를 삐끗하여 병원 신세를 진 적도 있다. 그렇다 보니 빽빽하게 꽂혀 정리를 기다리고 있는 책을 보고 있자면 원망은 절로 무거운 책으로 향하고 마는 것이다.

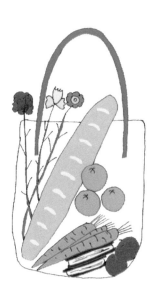

도서관과 카네이션

"꽃은 너무 흔하잖아요. 꽃보다는 현금이 좋지 않을까 합니다."

"이번 어버이날에 전동 안마기를 선물해 드렸구요. 꽃은 선물하면 부모님이 버리신다고 해서 준비 안 했어요."

"요즘은 전통적인 카네이션 가득한 바구니보다는 작약이나 튤립, 프리지어를 섞은 바구니를 더 선호합니다."

TV를 틀어놓고 설거지를 하다가 시민들과 상인들의 어버이날 꽃 인터뷰 소리가 들려 고개를 들었다.

'아, 어버이날이 가까워졌구나.'

나는 우리 부모님께 뭘 준비해야 하나 설거지를 멈추고 잠깐 생각을 하는데, 기자의 이어지는 멘트를 듣고 고개를 들었다.

카네이션 농가가 해마다 감소 추세이고, 더군다나 중국산이 국산 카네이션 가격보다 말도 안 되게 싸기 때문에 올해 카네이션 출하 농가는 지난해보다 30% 가까이 줄었다는 얘기였다.

다음 날 출근해서 관리과장을 불렀다. 어버이날에 도서관 1층 로비에 카네이션 한 다발을 꽂아 놓으면 어떨까 불현듯 생각나서다. 어버이날 도서관에서 카네이션 꽃을 보면 이용자들은 무슨 생각을 할까 궁금하기도 했다.

어버이날 아침에 출근하니 어제 사 온 분홍과 하얀색이 섞인 카네이션과 연분홍 카네이션 한 다발이 탕비실 선반 위에 놓여 있다. 가위를 가지고 와서 관리과장과 같이 둥근 유리병에 풍성하게 꽃꽂이를 했다. 상큼하고 향긋한 카네이션을 한 송이 한 송이 자르고 이파리를 떼고 예쁘게 꽃병에 꽂는 것, 그 자체도 굉장한 힐링이 되었다.

1층 로비에 가서 둥근 테이블 한가운데 카네이션 꽃병을 놓고 뒤로 갔다가 앞으로 다가왔다 몇 번을 거듭하다가 꽃 자리를 잡았다. 다시 뒤로 물러나서 가만히 쳐다보니 왠지 큰일을 한 것 같은 뿌듯함이 밀려왔다.

카네이션이 예전보다 안 팔린다는 소식을 듣고 시작한 것이지만, 기념일에 이용자와 같이 공감할 수 있는 작은 이벤트가 있으니 좋다. 이용자와 직원들이 모두 행복한 어버이날이 됐으면 싶다.

그래야 준비한 나도 행복해질 테니까.

점심을 먹고 1층에 로비에 내려갔다. 카네이션이 잘 있나 싶어서...

사람들이 이쁘다고 안내 카운터에 와서 한마디씩 하고 사진도 찍고 오전 내내 그랬단다. 역시 꽃은 사람 마음을 움직이고 부드럽게 하고 분위기를 상승시켜 주는 무언가가 있다. 특히 오늘 같은 어버이날엔 이 세상에서 카네이션이 제일 이쁘다.

어버이날에 도서관에서 카네이션 꽃다발이 보이는 건 실로 작은 일이지만 정말 큰 기쁨이다.

인천 공공도서관 곁에서 걸어온 길

———

  도서관에 애정을 갖고 이용하는 사람이라면 도서
관을 단순히 공부방이라고 생각하고 이용하는 사람
은 없을 거라 생각한다.

  나의 30년 근무 경력이 공공도서관 역사를 말하기
에는 많이 부족하고 미흡하지만, 그 기간 동안 많은
변화가 있었다고 생각한다. 내가 근무를 시작한
1990년대 도서관은 자료 대출, 정보 서비스 제공 등
도서관 기반 시설 확충과 같은 하드웨어에 주력하지
않았나 싶다. 2000년대 들어서면서 지역 특색에 맞
는 주제를 선정해 전문 서비스를 제공하는 특화도서

관이 생기기도 했다. 기존 도서관이 변화를 가져오기도 해서 도서관 건립 취지에 맞춰 설계 단계부터 어린이 체격과 행동 특성에 맞게 디자인하고 장서를 갖춰 그에 맞는 프로그램을 운영하는 어린이도서관이 늘어나게 되었고, 이제는 정보 서비스만이 아니라 복합문화공간으로서, 마을의 커뮤니티 공간으로, 쉼과 채움을 주는 공간으로 다양한 콘텐츠 기반 아래 운영이 되고 각자의 소프트웨어로 채워나가고 있다고 생각한다.

사서들은 매년 전국 각지에서 개최되는 전국도서관대회에 참석해 도서관의 동향과 전망, 타지역의 우수사례를 알아보는 기회와 함께 그 지역의 도서관을 견학하게 된다. 도서관에서 운영되는 다양한 독서 관련 프로그램은 우리 인천도 잘 운영되고 있고, 우수 사례로 발표되는 사업도 많이 있다. 그런데 도서관 공간 운영 면에서는 아쉬운 면이 있지 않나 싶다. 언제부턴가 다른 도서관을 보면서 인천에도 이런 도서관이 하나쯤 있으면 좋겠다. 나도 이런 곳에서 근무하고 싶다. 나도 이 도서관 이용자이고 싶다. 이런 생각을 하게 되었다. 인천시 교육청의 8개 공공도서관 모두 30년이 넘은 도서관으로 사람으로 계산해도 한 세대를 넘긴 도서관들이다.

2006년 서울에서 개최된 세계도서관정보대회(WLIC)에서는 인천의 계양, 연수도서관 두 곳이 RFID 도서관리 선진 시스템을 도입한 곳으로 세계 각지의 도서관 사서들이 방문한 곳이기도 한데. 아 옛날이여.

새로운 전산 시스템 도입으로 서버를 구입하고, 기존 자료를 DB화하기 위해 자료입력을 다시 해야 하는 작업이 힘들었지만, 우리가 먼저 도서관의 새로운 시작을 열었다는 뿌듯함도 분명히 있었다.

요즘은 도서관 명칭 앞에 복합문화공간이라는 단어를 많이 붙인다. 그만큼 지역주민들이 도서관을 다양하게 이용한다는 뜻이다. 기존의 공간에서는 이 요구를 채워주기 어렵다는 의미도 된다.

리모델링을 앞둔 주안도서관에 발령받아 일을 하면서 공간이 주는 힘을 더 깊이 알게 되었다.

주안도서관은 개관 32년 되던 해 리모델링을 했다.

도서관에 발령받아 기존의 리모델링 진행 상황, 앞으로의 일정을 알아보기도 전에 전 직원이 도서관에서 나가라는 통보를 받았다. 아무 준비도 없이 기막힌 일이었으나, 우여곡절 끝에 직원들이 근무할 곳을 찾아 이사를 하고 시집가는 날 받아 놓고 다이어트하는 사람처럼 혹독한 일정이 시작되었다.

도서관의 기존 설계 도면을 보고 원점에서부터 다시 시작했다. 전 직원이 모여 벽도 허물어 보고 직원 사무실 배치를 이쪽에서 저쪽으로 옮겨도 보고, 자료실을 합쳤다 분리했다 우리들 뇌가 흐물흐물해질 때까지 고민하고 또 고민했다.

리모델링은 예산만 있다고 되는 건 아니다. 물론 예산이 많으면 하고 싶은 거, 사고 싶은 거 고민 덜 하고 할 수 있겠지만, 도서관 시설보강 예산을 제외하고 적은 예산으로 도서관 인테리어를 진행해야 했다. 난감했다.

우리 모두 신설 도서관의 세련미는 없지만 도서관 기본에 충실하자는 생각으로 이용자들이 책 읽고 싶은 맘이 생기는 종합자료실, 밝은 햇살 아래 누워서, 서가 뒤에 숨어서, 자료실 모퉁이를 아지트 삼아 조금 떠들어도 되는 어린이자료실을 만들고 싶었고 꿰매고, 조립해서 만들고, 창작하는 메이커 스페이스 공간에 미디어 스튜디오 창작공간까지 4차 산업 혁명 시대의 미래를 함께할 도서관 만들기에 진심을 다했다.

돈 안들이고 우리 방식대로 리모델링에 힘준 부분이 있다면 도서관 층별로 색을 달리했다는 거다. 기존의 흰색, 아이보리 같은 공공기관 느낌의 색 대신 우리만의 색을 칠해보기로 했다.

1층은 마음을 평온하게 진정시켜주고 자연을 상징하는 그린색으로, 2층은 따뜻함과 활기를 촉진하는 주황색으로, 3층은 감정적으로는 조용하고 이성적인 느낌을 주는 파란색으로 정했다. 수많은 고민 끝에 색을 정하고 그 결과를 보러 갈 때의 떨림과 대면했을 때의 허걱 했던 당황스러움은 지금도 기억이 생생하다. 서로가 서로를 마주 보며 우리가 무슨 짓을 한 거지? 했던...

사서로서 많은 고민을 하고 마무리한 도서관에 더 깊은 애정을 갖게 되고 그 안에서 많은 걸 하고 싶은 마음이 들게 했다. 안내문 하나도 허투루 붙이지 않게 되었다. 도서관을 대하는 마음 자세가 달라졌다. 이 마음은 이용자도 같은 마음인 듯했다. 개인 공부를 하는 열람실에서는 소음 문제로 민원이 올라 오곤 하는데 한 공간이지만 가운데 정기간행물 서가로 공간을 나눠 태블릿이나 노트북을 이용하는 스마트열람실과 개인 학습에 집중할 수 있는 일반열람실을 둔 것뿐인데도 소음 민원은 줄어들었고, 책만 빌려 가고 이용자가 있는지 보이지 않던 종합자료실 창가에 이용자들이 앉아 책 읽는 모습이 보이기 시작했다. 리모델링하길 잘했다. 뿌듯한 순간이었다.

이렇게 우리들도, 이용자들도 마음이 달라지고 도서관 운영도 점차 바뀌고 있다. 다음 해에 한 번 더 힘내 실내 정원을 만들어 휴식과 힐링의 공간을 제공하는 에너지도 그 마음에서 나온 건 아닐까 한다. 힘들었던 그 당시의 아우성은 결과가 주는 아름다움으로 잊은 듯도 싶지만, 그날을 함께 해온 우리들은 아직까지도 서로를 칭찬하고 있다. 아마 모일 때마다 이 이야기가 나올 테고 그때마다 칭찬하며 즐거워하겠지.

이제는 공부방 도서관에서 책만 빌려주는 곳이라는 딱딱함을 벗고 도서관에서 새로운 걸 배우고, 함께 만나 소통하면서 위로도 받고, 내일을 꿈꾸는 도서관으로 많은 것이 변해가고 있다. 이 안에 내가 함께 했다는 게 대견하기도 하고 수고했다고 어깨 툭툭 쳐주고 싶기도 하다.

나도 이젠 이곳에 이용자로 방문할 날이 얼마 남지 않았다. 그땐 사서가 아닌 이용자로서의 나로 도서관이 반겨주면 좋겠다. 도서관에서 행복한 일상을 누리는 이용자의 내가 기대된다.

그끝에

누가 사서더러 '사서 고생'이라 했을까요?

신났다.
글쓰기를 걱정해서, 바라보는 내내 애잔했던 사서들의
모습들이 완성을 해놓고선 얼굴에서 미소를 보았다.
그 모습들을 바라보는 내 마음도 신났다.

아직 1년도 안 된 사서부터 퇴임을 바라보는 사서들까지
쉽지 않은 글쓰기에 도전장을 내놓고 날짜를 세어가며
한 편 한 편 제출해 만든 책이 드디어 출간되었다.

사서는 늘 바쁘다.
밖에서 보는 것과는 다르게 안에서는 책과 씨름 중이고,
프로그램 개발하느라 늘 분주하고 너무 많은 보고서
만드느라 항상 고군분투 중이다.

거기에 내가 하나 더 보태서 책까지 쓰게 만들었다.

우리의 생활이 별거 아니라고 생각했지만 막상 쓰고 보니, 추억이고 고단함이고 뿌듯함이고 자랑이며 되돌아봐도 즐거운 사건투성이다.

이 책을 통해서 사서라는 직업을 다양하게 보여주고 앞으로 이 직업을 갖게 될 혹은 꿈을 꾸게 될 어린 꿈나무들이 보다 많아졌으면 좋겠다는 소박한 바람도 가져본다.

사서를 누가 사서 고생하는 사람이라고 했나요. 우리는 오늘도 행복하고 내일도 행복할 거랍니다. 즐거운 책 읽기가 되었으면 좋겠습니다.

감사합니다.

2024년 7월,
중앙도서관장 정경애